To my teacher Armen A. Alchian
In grateful memory

給老師阿爾欽
感激與懷念

經濟解釋　第四版

全五卷之三：受價與覓價

ECONOMIC EXPLANATION,
FOURTH EDITION
BOOK THREE OF FIVE:
PRICE TAKING AND PRICE SEARCHING

張 五 常 著

Steven N. S. Cheung

Arcadia Press

花 千 樹

目錄

第四版引言

卷一與卷二介紹了經濟學的基礎概念與理論，簡單的，但有着複雜的變化。複雜的理論不容易再有複雜的變化，因為變化少，難以解釋複雜的世事。作學生時我學過不少複雜的理論，後來試用於解釋世事，發覺不管用，才轉到集中於簡單的概念與理論，用出變化，處理世界的複雜現象才感到得心應手。

簡單的理論用出變化是深學問，同學們要不斷地試用於解釋複雜的世事，經過好些時日，才可以逐步地感到得心應手。過程中失望的日子無數，但每有所獲則有難以形容的滿足感。沒有好奇心不宜從事科學，經濟學也如是，只是後者的實驗室是真實的世界，別無選擇，同學們要不斷地到真實世界跑。

本卷處理經濟學老生常談的兩個話題：受價（price taking）與覓價（price searching）——傳統糊裡糊塗地稱為"競爭市場"與"壟斷市場"。說是糊塗，因為多過一個人的社會競爭永遠存在，只是市價有時不能不接受，有時則要尋尋覓覓才能決定。因為概念與理論用出的變化多了，這兩個話題在這裡的處理跟同學們學過的有很大的差別。這是真理追求的結果。

張五常　二〇一七年二月

受價與覓價
Price Taking and Price Searching

市價決定在競爭下誰勝誰負，即是一個約束競爭的準則。願意出價購買是贏家，不願意出是輸了。是否富有是另一回事。一個富人可能不購買上佳的牛奶給孩子喝；一個窮人可能購買上佳的牛奶養狗。富有的人有較多的選擇是事實。

第一章：市價的性質

本卷分析市場交易，我要簡略地再説卷一説過的，然後帶到新的比較深入的層面。市場的運作不是簡單的學問，可幸一律有趣。因為我考查過很多不同地方的市場，知道的現象細節跟行內的朋友知道的有相當大的差別，我要回頭再説才可以比較容易地帶同學們走進新的領域去。

“價”一詞有幾個意思。這裡要分析的是“市價”，即是在市場交換物品或服務的相對價格。今天的社會，為了節省交易費用，這交換一般以貨幣或金錢作媒介，但在思考市價問題時同學們還是要從貨幣之外的物品或服務的交換想，想着實質交易的比率——相對價格是也。不要讓貨幣的引進左右這想法。另一方面，通貨膨脹是説貨幣與實質物品之間的相對價格有了變動，是另一個話題，我要到卷五分析貨幣制度時才處理。

美麗的均衡是小騙

老師阿爾欽説過一句我曾經幾次提及的話：“價格決定什麼比價格是怎樣決定的重要。”在《科學説需求》中我分析了在競爭下市價或價格是怎樣決定的。那不是圓滿的分析。我是從一個邏輯上不可能錯的均衡點出發，回頭以堆砌的方法推理，騙一下同學。不是騙很多，騙一點。不能不騙，因為在那裡深入地分析市價同學們不會讀得懂。

該均衡點是競爭下的均衡，説不同需求者的邊際用值相等，而這相等的邊際用值再等於市價。邏輯上這老生常談的均衡是一幅美麗的圖畫。引進生產，這相等要再加上邊際產出成本，也美麗。困難起於我們問：是什麼樣的局限會導致這美麗均衡的出現呢？要是我們假設交易費用不是零，這均衡說的“邊際”相等當然不會出現。要是我們假設所有交易費用是零，市場不會出現，更勿論市價了。我在《收入與成本》第八章第四節——《市場節省了些什麼？》——探討了這個問題。再深入的分析要從科斯定律說起，那是卷四的話題。這裡只能說，上述的美麗均衡點可以用作一個思想的憩息處，加進交易費用會有另一個不同的均衡；從另一端看，我們可採用卷二第八章第四節的方法，把交易或制度費用從高處減下來，找到另一些均衡。

解釋經濟現象永遠是把局限條件或加或減，務求這些局限的變動在原則上可以觀察到，然後推出可以驗證的假說。均衡不是事實，無從觀察，不同的均衡點是讓我們在這裡那裡憩息一下，站住了腳再想下去。

第一節：市價約束競爭

阿師說價格決定什麼比價格是怎樣決定的重要，一九六三年我聽到時如中電擊。是在課堂上聽到的。這句話影響了我後來在經濟學上的發展，使我在“租值消散”的思維上走得比其他人遠（見《中國的經濟制度》第二與第三節及《收入與成本》第八章）。賣花當然讚花香，我今天認為不深入地理解租值消散的多種含意，經濟體制的運作不容易全面掌握。

市價決定什麼？阿師之見，是市價決定在競爭下誰勝誰負，即是一個約束競爭的準則。願意出價購買是贏家，不願意出是輸了。是否富有是另一回事。一個富人可能不購買上佳的牛奶給孩子喝；一個窮人可能購買上佳的牛奶養狗。富有的人有較多的選擇是事實。不是說笑，我今天還擁有的、不容易買到膠卷的名牌照相機，可能多過地球上的首富；我擁有名貴墨水筆七枝，稿紙的講究可能冠絕天下。但我用的手機七年前以三百大元人民幣購得，不壞不換，一位朋友看不過眼，要送我一部有神奇功能的，我婉卻了。我是個對先進科技有抗拒感的古人。

唯一沒有租值消散的競爭準則

這就是市場。你在早上多吃一隻雞蛋，地球上總有另一個人少吃一隻——在競爭吃雞蛋這玩意上你把這個人殺下馬來。市價是決定競爭勝負的一個準則。《科學說需求》第三章解釋過，決定競爭勝負的準則有多種，市價只是其中之一。後者是個很特別的準則，因為是唯一的不會導致租值消散的競爭準則。一七七六年斯密說得好："給我那我需要的，你可獲這你需要的，是每次交易的意思。"你要拿出一些有價值的物品來換取另一些，而這換取的比率稱市價。盜竊不論，打家劫舍不談，你拿出來交換的要不是自己的產出，就是他人的產出到了你手上（例如親友送給你的禮物或金錢），而這產出代表着對社會作出了貢獻。以自己對社會的貢獻換取他人對社會的貢獻是沒有租值消散的競爭行為，交換的比率是市價。

阿爾欽當年可沒有帶到租值消散這話題上去。但他提到，如果以市價來決定競爭勝負這個準則被壓制，其他準則會出現。一九六六年我研究佃農的分成率受到政府管制時，看到類似公海捕魚那種競爭帶來的租值消散。跟着研究香港的租金管制，發覺租值消散的現象來得明顯。再跟着研究一般的價格管制，同事巴澤爾和我達到的共識，是政府管制着市價，其他會出現的競爭準則——例如排隊輪購——在某程度上一定會出現租值消散：排隊的時間成本對社會什麼貢獻也沒有。這裡牽涉到的學問不淺，因為市價受到壓制，會出現的其他競爭準則可以有多種，解釋現象或行為我們要推斷哪種準則會出現。這是我一九七四年發表的《價格管制理論》的主要內容，卷二《收入與成本》第八章第三節作了初步介紹，跟着在卷四《合約的一般理論》會再深入地討論。這裡詳述是近於題外話了。不要忘記，本章寫的不是市場，而是市價的性質，the nature of price 是也。

簡言之，在局限下減少租值消散是《價格管制理論》的主旨，這理論不僅讓我在一九八一年推斷了中國會走的路，也讓我明白昔日中國的體制運作，知道以等級界定權利與走後門等行為都是為了減少租值消散。

產權經濟學之父

我認為阿爾欽被行內朋友譽為產權經濟學之父，是源於他的“價格決定什麼”的思維。價格既然被看為決定競爭勝負的準則，那麼有關的遊戲規則是些什麼呢？他的答案是產權制度。一九六五年跟阿師研討日本的明治維新時，得到的共識是私有產權是市場交易的先決條件。早些時，科斯提出的角度略為不同：權利界定是市場交易的先決條件。其實是一樣，一九二四年奈特說的也是一樣——英雄所見略同也。這些思維讓我們回頭再看一個老問題：價格是怎樣決定的？一時間問題變得複雜，因為不能不引進交易或制度費用這項極不容易處理的局限。本章開頭說的美麗均衡變得膚淺了，不到位。我在《收入與成本》第八章問：市場節省了些什麼？答案是節省了租值的消散。租值消散是一組交易費用，市場的形成與運作有另一組交易費用。市場的出現，基於前一組高於後一組。不久前我對沃因（Lars Werin）及巴澤爾說，西方經濟學發展了二百多年，為什麼有市場這個基礎問題要到區區在下才找到圓滿的答案呢？

第二節：看不見的手的闡釋

經濟學鼻祖斯密提出的"看不見的手"，是說個人各自爭取私利，通過市場的運作，對社會作出了貢獻自己也不知道。沒有意圖改進社會，但社會卻被改進了，比有意圖改進的效果還要好。斯前輩於是說，這個人彷彿被一隻看不見的手引領着，改進了他毫無意圖改進的社會。是數世紀一見的大師想出來的真理，我們今天高山仰止。

新古典的貢獻

後來的學者在斯密的看不見的手這理念上作出了幾方面的補充。首先，源於斯密的思維，以馬歇爾為首的新古典經濟學派推出較為嚴謹的需求與供應的分析，有系統地指出市價的變動會引導資源或生產要素使用的變動。即是說，某產品的相對價格上升生產者就轉到該產品去。這個市價引導資源使用的觀點是對的，支持的事實多得很，其中最明顯是農業的運作。

在神州大地，除了輪植需要的約束，農民對農產品物價變動的反應非常快。豬價急升，養豬的農戶立刻增加；哪些蔬菜叫價好，培植增加是立刻的選擇。養淡水魚的選擇同樣明確：漁農是不斷地跟進不同類別之價及飼料之價。

這其中有一個經濟學不容易處理的麻煩。農產品的市價變動不能全部以成本及需求的變動來解釋。顯然地，農民的取捨選擇往往是基於不準確的市價預期：因為市價變動而促成的一窩蜂行為有時導致某些物品產出太多，或某些產出太少。有期貨市場的物品不多，而期市的運作是把未來的訊息預期提早集中運用，原則上會減少市價的波動，但其效應不是那麼明顯。

上世紀六、七十年代，期貨市場集中預期訊息的處理能否減小市價的波幅，是大有爭議的話題，實證研究的報告多，但結論不明顯。阿爾欽和我的共識，是期市只能在某程度上減小市價變動的波幅，但除了期市合約可以協助保障投資產出的人，拉平市價的波幅期市辦不到。能知半夜事，富貴萬千年，訊息不足的局限，就是不牽涉到時間也不容易處理，何況產出投入的調整需要時間。然而，市價變動帶動資源使用的變動是無可置疑的。見到市價變動而管制市價是蠢政策，或是利益團體喜歡做的混水摸魚的行為。歷史的經驗，滿是價管導致災難的例子，而放棄市場會導致民不聊生是人類歷史的規律。

科斯問得好

後來的學者給看不見的手的第二項補充，起自科斯一九三七年發表的《公司的性質》。科斯當時二十歲出頭，分析不夠老到，但他提出一個重要的問題：市場由市價引導資源使用，公司由經理人指導資源使用，這是為什麼？這是問為什麼資源使用的引導有時從看不見的手轉到看得見的手那邊去。他的解釋，是某些生產活動因為交易費用過高而沒有市價。這觀點有爭議，大師如阿爾欽、德姆塞茨等人不同意，但我認為大致上對。後來我在件工合約的運作上作了深入的調查，一九八三年發表《公司的合約性質》，把科斯之見作了大幅的修改與補充。屬卷四的話題，這裡按下不表。

這裡要指出的，是作為看不見的手，市價的引導其實是一項相當奢侈的玩意，因為要經得起相當龐大的交易或制度費用才會出現：產權界定的費用、量度的費用、訊息的費用、法律及合約的費用，等等。另一方面，經得起這些費用而出現的市價還可以誤導。科斯和我認為，公司的看得見的手與政府的看得見的手在性質上是類同的，我們因而不反對政府的看得見的手甚或計劃經濟。我們不同意的是一個邏輯上的要點：分明可以由市價引導的經濟活動，因為愚蠢或謀取私利或權力，好些人提出邏輯欠通的反對市場或市價的建議。

哈耶克與弗里德曼

再要提到的對看不見的手的補充，是哈耶克一九四五年發表的《知識在社會的用途》。哈氏之見，是科學知識是集中的，集中在一小撮研究者，但市場運作需要的知識卻是分散的，市價的釐定與市場的運作需要市場所有的消費者及產出者提供自己擁有的知識或需求的取捨。哈氏之作針對的，是當時 Oskar Lange 等人反對市場，支持政府策劃，但哈氏認為政府不可能搜集那麼多的分散了的訊息。這觀點當然對。

一九六八年我在芝加哥跟弗里德曼研討市場及市價時，他在哈耶克的思路上作了兩點補充。弗老之見，是不管市場的人對自己的所知怎樣守秘自珍，只要他們通過市場購入或沽出，某程度市價會被影響了，反映着他們的知識傳到市場上去。弗老提出的第二點，是一個人最怕做的事是認錯。市場不會要求任何人認錯，但在市場虧蝕是懲罰，獲利是獎賞，而市價的或升或降是有着獎賞與懲罰的效能。換言之，從市價變動那方面看，懲罰與獎賞皆出自看不見的手。

訊息麻煩假說有趣

不要以為市價的變動是萬無一失的。上文提到因為訊息費用的存在，市價的變動往往不準確地反映成本與需求的變動，而儘管如此，市場對人民生活的貢獻極為龐大可以肯定。

論及市價，訊息費用惹來很大的麻煩。這項局限極不容易處理，但奇怪，我們可以不大困難地以之推出可以驗證的有趣假說。這是本卷第八章的話題，從玉石市場到藝術收藏到討價還價到冒牌貨到炒黃牛到尋花問柳，等等，皆過癮精彩。我認為施蒂格勒一九六一年發表的、後來獲諾貝爾獎的《訊息經濟學》不到位。施兄認為同樣物品，其市價有變差（即方差，variance），市場的人於是到處搜尋。然而，市價的變差是市民搜尋的結果，不是原因。購買物品的市民喜歡打價或議價是事實，也牽涉到我在本卷第八章分析的、不容易解釋的討價還價的行為，但他們一般不會知道物價的變差之數為幾也。

第三節：造勢與造價

關於市價或價格的行為或現象，經濟學傳統分受價（price taking）與覓價（price searching）兩類。沒有誰注意到造價（price making）。造價不罕有，也有趣。這是出售的人刻意地把價格造高，在某些情況下可以有成果。一般人的意識是價高代表着質量好，而有些顧客以討價還價的方法把高價壓至低價購入，喜上眉梢，其實不相宜。

價高反映需求高

從市場的一般現象看，價高代表着質量高，不一定對，但通常對。我曾經叫女秘書購買一元一枝的圓珠筆，她買回來的是三元一枝，認為教授不應該用一元的劣品。其實我偏偏是要一元那種。一般而言，在有訊息費用的局限下，價高不僅代表着質量高，也協助炮製有市場需求的形象。這就帶到一個問題：價高一方面給顧客的印象是質量高，另一方面給顧客的印象是需求高，是哪一方較為重要地促成把價造高的行為呢？

二者皆造高價的因素，但相比之下，我認為把需求形象造高那方面有較大的決定性。原因是這樣的。在低檔次市場往往見到的開天殺價的行為不論——算不上是這裡要分析的造價——造價的行為一般只出現於那些耐用、購買後可以再沽出去的物品。樓房是一例，藝術收藏品也是一例。這兩類物品（樓房也是物品）造價的行為最常見，理由是購買的人希望這些物品"保值"，有需要時可以賣出去，尤其是賣出去時有機會賺價。把價造高，出售者是要炮製成行成市的形象，或市場的需求大，容易再賣出去。這解釋了為什麼造價的行為好些時連帶着造勢。

轉談造勢吧。香港與內地的房地產市場造勢常見。建築商賣樓花時喜歡製造出眾多買家要搶購的情況，手法不一。有時出錢請人排隊看樓，裝模作樣，有時說只出售多個單位的一小部分，話猶未了又加銷；有時把紅點貼在多間樓宇單位的號數上，還未賣出也說是賣出了。股票市場也有造勢的現象。新股發售，代銷商可能製造萬人輪購的大場面，無知的婦孺排隊通宵達旦，根本不知買的是些什麼。

造勢不限於容易轉售、有機會賺價的物品，其目的主要是為了增加需求。上世紀七十年代，芝加哥某銀行啟業，只登一小廣告，說先到先得，首二千名每人可獲美元二十。結果是排隊的無業游民數以千計，搞得交通大亂。派出去的錢合共四萬美元，換得報章頭條，是否明智很難說。

訊息費用有決定性

讀到這裡同學們要小心了。"需求"的變動與"需求量"的變動是兩回事。前者是指需求曲線向右或向左移動，後者是指需求曲線不動，只是價格變動時需求量按着需求定律而變。換言之，原則上，說某物品的"需求"變動，是指該物品的需求量變動起於價格變動之外的因素。

我在上文說造高價會炮製需求上升的形象，是違反了經濟學的基礎原則嗎？沒有，因為訊息的局限轉變了。在《科學說需求》第六章我提及，你在街上遇到一個不相識的人，他以很低之價向你出售一粒兩克拉的鑽石，你不會買，甚至連看也懶得看。在一間名貴的商店，你可能以十倍之價購買。天曉得，雖然那街上人向你推銷的屬真貨的機會甚微，但就算是真貨甚或是精品你也不會買。訊息費用存在，你不懂得鑑別鑽石，就是懂得也有太多的疑問。

上述的鑽石例子是刻意地誇張了。某程度訊息費用的存在對物品需求的影響有其一般性。減價推銷是市場的慣例——這是需求定律——但一個推銷的人不會那樣傻，在大事造勢、高呼市場需求甚殷的情況下，會加進割價銷售的矛盾。炮製市場需求大的形象要把價造高。

上文提到，造價最常見於那些耐用的、購入的人可以再賣出去的物品——例如樓房與藝術收藏品。成行成市的形象重要。那所謂"行頭窄"的物品不容易造價，因為有成本，造不過。上文談及地產商造勢的手法，造價呢？他們喜歡先把一部分單位給有關的人士"認購"，然後選一些較佳的單位以高價賣給有關係的人，而此價也，有多少水分不公開。

最常見造價的地方是藝術品的拍賣行，因為拍賣的成交價會公告天下。是力度不凡的宣傳，雖然對拍賣深有認識的老手不難知道哪件物品牽涉到造價。已故的藝術家的作品少被人造價，古物更少。拍賣造價的行為我會在第八章第六節較為詳細地討論。

第四節：價格偏差的壓力

一九七五年我從西雅圖到香港度長假時，要看一場重要的足球比賽，委託一位神通廣大的朋友購票。該友奔跑了半天後，說上佳座位的門票銷售一空，他無能為力，認為檔次低的我不會有興趣。我早就意識到優質的座位有先滿的慣性，含意着優座票價雖然比劣座的為高，但先滿是顯示着偏低了。

優座票價偏低帶來的靈感

我的意思不是說因為票價劃一，顧客先到先選，於是優座先滿。我說的是座位與票價分級別，優座價較高，但先售罄。我也察覺到當黃牛票的炒賣出現時，優座票價提升的百分率通常高於劣座的——而事實上，炒黃牛通常只炒優座之票。座位分級別而訂不同之價，其交易費用會比票價劃一的安排為高，但既然票價分了級別，把優座之價再提升不會增加交易費用。難道票房的老闆不要多賺一點錢嗎？

優座票價偏低這個現象可不是先由我發現的。上世紀六十年代在芝加哥喜歡聽音樂演奏的朋友都有優座票難求的共識。也是那時，老師阿爾欽察覺到一年一度的"玫瑰碗"美式足球大賽，最佳座位的票價因為偏低而難求。他的解釋是非牟利的運作使然。當時芝加哥的音樂演奏也往往是非牟利性質，阿師的假說被引用到課本上去。但非牟利的優座票價可以偏高，因為購票的人以之作為慈善捐助可以減稅，票價提升有助。非牟利之說不容易成立，因為優座票價偏低在香港出現。在香港，非牟利的行為是不容易想像的。

跳座假說一般化

我當時想到的優座票價偏低的解釋，是防止跳座。買了廉價劣座票的人，可以開場後偷偷地轉到優座那裡去。如果優座票價偏低，先滿，讓顧客保護自己的座位，跳座的行為可以杜絕。一九七五年香港電影院的座位以優劣分級別，票價不同。樓下分三級，樓上分兩級。我花了十多個晚上跑多家電影院，主要是查察在售票處很容易見到的不同座位級別的銷售情況，想好了如何驗證防止跳座這個假說，方法我在《收入與成本》第八章第二節談及，這裡不再說。

一九七六年，阿師退休，為他舉辦研討會議的朋友求文，我花了兩個晚上寫好了一九七七年發表的《優座票價為何偏低了?》，是反對阿師之見而動筆的。阿師後來把該文捧到天上去，顯示着大師的風度。在該文的結尾處我是這樣說的：

> 面對競爭時，一個人的行為往往要依靠其他競爭者的行為而定。價格的釐定是競爭的一種回應，無疑是重要的。但那不是唯一的回應。所有參與合約的人可能獲利——如果減低價格可以促長約束競爭的行為。這篇文章示範着的，是約束競爭的行為可以簡單而又有效地以減價的方法引進。

香港茶樓與香港置地

該文還提到其他例子，例如當時香港的茶樓在午餐時喜歡讓等位的顧客站在正在進食者的旁邊，使進食者吃得不舒服，早點結賬（不這樣處理可收較高價）。可能最有說服力的例子，是一九六八年香港置地公司的一宗官司。該公司是香港中環的商業樓宇的最大業主，只租不賣。在法庭陳詞中，置地公司的經理直認他們收的租金比同級的商業樓宇大約低百分之十，目的是要有一個“健康的排隊”（a healthy queue）。言下之意，是如果有排隊等位的租客，現存的租客會較為遵守公司定下來的規則，交租金會比較準時。置地公司是英資的，提供的商業樓宇檔次高，由老外經營管理其費用比華資的高，調低租金，讓“健康排隊”施壓於租用者是比較容易管理的。

效率工資的趕驢子故事

一些行內朋友認為，《優座票價為何偏低了？》一文觸發了八十年代初期興起的效率工資理論（efficiency wage theory）。我的主旨，是出售者把價訂得偏低，給購買者施壓；效率工資的主旨，是購買者（僱主）把價（工資）訂得偏高，給出售者（員工）施壓。

效率工資理論是一個趕驢子的故事。要驢子跑得快，我們在牠前面掛着紅蘿蔔，在牠後面拿着棍子。該理論説，僱用員工，把工資提升至高於可以聘請到之價，使被僱者穿得好吃得壯才工作，是蘿蔔。另一方面，因為市場有其他求職的人，較高的工資求職者眾，對被僱者來説是棍子的壓力了。效率工資理論被用作解釋失業的現象。因為僱主要保持蘿蔔與棍子，工資向下調整有頑固性：僱主恐怕拿開了蘿蔔與棍子員工會散漫起來，生產力因而下降。

五點難以自圓其説

奇怪效率工資這個謬論可以大行其道。考慮如下幾點吧。

一、僱主提升工資員工當然高興，但把工資下調一定有怨聲。不管什麼蘿蔔、棍子，工資下調遠比上調困難是事實，而我在《收入與成本》第三章第四節解釋過，時間工資只是一個委託量之價，時間本身不是產品。解釋失業這“委託”性質是重點，是效率工資以外的話題。

二、如果刊物大幅提升我的稿酬，我的文章會寫得格外用心。刊物老闆會打自己的算盤，要購買哪個檔次的文稿他會自作打算。原則上，任何工資皆蘿蔔，而在競爭市場下，競爭的本身是壓力，棍子是也。提出蘿蔔與棍子是毫無新意的。

三、效率工資不僅沒有提供線索指出哪部分工資是蘿蔔哪部分是棍子，也沒有指出哪部分是高於市場工資的。只說工資高於可以聘請到員工之價，是說了等於沒有說，因為不同員工的質量千變萬化，這觀點永遠對。不要忘記，我提出的香港置地及座位票價的例子，其價格的偏差可以直接或間接地觀察到，真有其差，但說效率工資偏高則無從觀察，正如一個寫手的稿酬是否偏高只有天曉得。

四、效率工資理論說經濟不景，工資頑固難下，所以失業增加。擺明互相矛盾。蘿蔔與棍子的成本是為了減低監管費用。經濟不景，監管費用理應下降，工資不減，蘿蔔與棍子的成本代表着的監管費用是上升了。怎麼可能呢？香港置地使用的棍子可沒有增加調整租金的困難。

五、二〇〇〇年，曾獲諾獎的牛津大學主將J. A. Mirrlees到香港大學講述他研究多年的效率工資理論與失業的關係。我問："你的失業理論是基於工資合約的，但中國的工廠正在盛行的合約是件工或基本工資加獎金或分紅。這些其他合約你的理論不管用吧。"他同意獎金或分紅的合約安排他的理論不管用，但不肯定件工合約也否決了他的理論。(當然是否決了，見拙作《收入與成本》第一章。)

經濟學者不重視真實世界的市場運作，由來已久，對不同的合約安排近於一無所知。他們喜歡坐在辦公室內，以數學方程式試圖解釋他們想像着的世界。這是可悲的學問了。

第五節：泡沫的闡釋

二〇一〇年某媒體問中國的樓市有沒有泡沫，我說不知道。他們翻出來的大字標題是：張五常說樓市沒有泡沫。是某些人的一廂情願吧。不知為不知。二〇一一年北京推出的打擊樓價政策，吵得厲害，要求我分析的四方君子無數。知之為知之，我把自己知道的說說吧。

當時北京推出打壓樓價的政策是嚴厲的，此前我沒有聽過這種打法，人類歷史可能沒有出現過。北京本市的最嚴厲，上海次之。重慶也推出，詳情我沒有跟進；其他樓價上升得快的城市會接着推出，嚴厲程度各各不同。考慮徵收物業稅之外，阻嚇力更強的，是在北京市買樓要拿出在該市工作滿五年的證據，本市的人最多限擁有兩間住宅單位，外來的限一間。住宅之外的樓宇不管。

原則上，北京推出的政策可以很嚴重，而如果全國推行可以是災難性。手頭上資料不足，無從肯定，一個猜測是樓市的中介公司容易紛紛關門，建築工人容易紛紛失業。從經濟原則的角度看，北京推出的政策是違反了市場引導土地使用的規律。另一方面，我明白北京憂心樓價不斷上升的原因，但認為有較佳的處理方法。

少林寺叛徒的看法

我可能是地球上唯一的出自兩間自由市場少林寺的叛徒。是的，我認為市價可以誤導。市價指導資源的有效使用，老生常談，一般對，但可以錯。這裡要說的是另一個不可能錯的原則：人民的收入增加，他們的積蓄要放進一些倉庫去，作為財富累積。一般而言，比較可取的倉庫是房地產。我在卷二《收入與成本》第四章提出的倉庫理論重要。前人分析財富累積忽略了倉庫的考慮。

中國當時的經濟增長冠於地球，市民要把他們花不掉的錢放到哪裡去呢？股市我真的不明白。早一年中國的股市表現全球最差或近於包尾。收藏品的表現好，但好於收藏的癮君子只是一小撮。樓市的表現也好，而北京當時顯然認為是好過頭了。

讀到的言論，是北京的朋友擔心樓價升得太快，因而要打壓，出於兩點。其一是樓市的不斷上升可能出現泡沫，一下子暴跌會是災難。其二是樓價的急升會導致貧富兩極分化。窮人沒有買樓，樓價上升他們無緣享受，有所不公也。

樓市泡沫及貧富分化是兩個大難題。這裡要指出的，是如果這兩大難題不存在——完全不存在——北京沒有理由打壓樓市。樓價上升是反映着財富累積的上升，如果沒有泡沫，窮人也買了樓，豈不是皆大歡喜？在這假設下，打壓樓市是打壓財富，而如果這打壓全面生效，經濟的增長率一定會大幅下降。

假設樓市沒有泡沫是假設樓價沒有過高。經濟學的困難是很難判斷樓價是否過高。這是因為樓價不是現有租金或租值的折現，而是預期租值的折現。另一方面，有些人買樓不管什麼租值不租值，也不管折現不折現，只是見人買就跟着買，希望升值。這是牛群直覺的行為，是另一種“泡沫”。這裡不論了。

二〇一一年的中國，市場的迹象顯示有通脹預期，但不嚴重，而北京要壓制通脹的決心明顯。見到的情況，是住宅樓宇的每年租金約樓價的百分之二強，商業及工業樓宇約百分之五、六。這樣衡量，與其他地區或國家的經驗比較，中國的樓價不算是高得脫了節的。

日本與美國的不幸經驗

經濟學的"泡沫理論"多得很，沒有可靠的。市場之價可以暴升暴跌，稱之為"泡沫"可以接受，但怎樣解釋呢？如果經濟學者真的可以解釋，可以推斷，他們早就發了達。我敢打賭，經濟學的泡沫大師們一般是輸多贏少。

這裡先談兩個很可能是當時北京的朋友恐懼的例子。恐懼，因為這些例子示範着的，是樓市暴跌不僅拖垮經濟整體，而且復甦不易。其一是日本，上世紀八十年代樓市暴跌後，到今天經濟整體沒有真的復甦過來。其二是二〇〇八年的美國，雖然時日不是那麼久，樓市暴跌後復甦的困難是明顯的。先談日本吧。

日本的樓市一九八六年底開始暴跌，之後四分一個世紀沒有真的上升過。二〇一三年我向一位跟進日本樓市的朋友問價，得到的數據是二〇一二年日本樓價與中國的剛好打平。這是以美元算。四分之一個世紀，其間有通脹，可見當年日本的樓價是高得多麼驚人。當年一位日本朋友告訴我，在東京，平民老百姓睡的床，不是雙層的那種，而是像抽屜，層層疊疊，要拉開來，鑽進去，像把信入封似的。那是經濟雄極一時的日本，其人均收入冠天下，值得炎黃子孫羨慕嗎？

日本樓市悲劇的起因，是當年嚴禁農產品進口，使農產品之價飛到天上去。一九七五年在東京，我見到高檔次的番茄零售五美元一隻，溫室葡萄一美元一粒，而大阪市中心的商業高廈之旁的小空地竟然用作農植，不可謂不奇。禁止農產品進口有大幅提升地價之效，樓房之價因而高升。更大的不幸，是水漲船高了，工資跟着也高。本地的樓價與工資皆高，促使日資到外地下注或設廠。這資金的需要促使八十年代初期起日本銀行的借貸急速膨脹，到一九八六年那裡的銀行紛紛出事。樓價，尤其是商業樓價，急速地下降了百分之八十以上。這可以看為泡沫。

美國的壓力不論，日本出外投資的大戶重視日圓在國際上有強勢，國會因而反對以通脹之法來拆解因為樓市暴跌帶來的困境。樓市暴跌是財富暴跌，依照費雪與弗里德曼的消費理論，市民的消費永遠跟着財富的升降走。支持這理論的證據多得很。

這些年新興的泡沫理論必定連帶着貨幣問題，尤其是貨幣政策帶來的借貸膨脹。從觀察上看，這關係是對的，尤其是貨幣的借貸膨脹對經濟的影響不是局部而是全部，樓價的泡沫出現只是首當其衝的悲劇。經驗的規律說樓價的急升與泡沫性地暴跌，跟借貸膨脹有肯定的關係，但不是說經濟學者有可靠的泡沫理論。把市場暴跌作為泡沫看，到今天經濟學者還是事後孔明，什麼理論云云有點搞笑。

因為貨幣借貸膨脹得厲害而出現的市場"泡沫"對經濟整體可以有廣泛的不良影響，但這不是幾百年前荷蘭出現的鬱金香危機那種泡沫。借貸膨脹導致的樓價急升及暴跌，到今天經濟學者只知其然而不知其所以然。規律是這種泡沫一定先有借貸膨脹，但借貸膨脹不一定帶來市場暴跌的泡沫。昔日國民黨的經驗可教。另一個規律，是源於借貸膨脹然後破裂，樓市或資產之價泡沫性下跌，導致經濟整體下跌後，復甦很困難。這規律，人類歷史的經驗不多，不易理解，我會在結語時試做解釋。

美國二〇〇八年（其實較早）出現的金融危機是另一個借貸泡沫的例子。那裡的政府希望居者有其屋，聯儲局鼓勵低息借貸，格林斯潘說中國貨進口相宜，穩定着美國物價。不到十年美國的總借貸額上升了約三倍。格老可沒有想到，通過金融工具衍生出來的是毒資產。二〇一一年初某機構估計說，泡沫破裂美國的總財富下降了約百分之三十，樓價平均下跌了約一半。

中國的經驗

上世紀九十年代後期，中國的樓價下跌得厲害。上海比較高級的樓價從人民幣二萬六千元一平方米下降至八千，有更為極端的例子，其他大城市的跌幅比率類同。理由明確：朱鎔基大手調控，中國的通脹率從百分之二十以上調控到負百分之三以下的通縮。這樣導致的樓價跌幅不能說是泡沫：政府是明知故"犯"的。那次樓價暴跌的效果，主要是把財富再分配，經濟增長持續強勁的理由我在《中國的經濟制度》一書內解釋過了。

問題是，上海等熱門城市跟着的發展，是八年間樓價上升了約六倍！會帶來泡沫嗎？很難說。記得二〇〇八年，當內地的樓價從低位上升了約四倍多時，北京推出打樓政策，打了大半年終於打死，樓價下降了約四分之一，大家又嚷着要救樓市。

牛群直覺引起的泡沫

二〇〇八年北京推出打壓樓市的政策之前，我不擔心中國會出現上文提到的跟借貸膨脹有關的泡沫，因為央行緊收銀根已有好幾個月，樓市的走勢看不到有泡沫的先兆。是牛群直覺促成的泡沫嗎？應該不是。牛群直覺促成的市場泡沫通常與貨幣無關：市民盲目地闖，見人買就買，一窩蜂地買，跟着是一窩蜂的沽出。這種群起現象屬牛群直覺（herd instinct）的行為，高舉自由市場的弗里德曼當年也同意市場可以有這樣的泡沫。

歷史上，牛群直覺促成的市場泡沫的例子有昔日荷蘭的鬱金香，有導致牛頓輸身家的南海股市泡沫，而上世紀七十年代，有中國的君子蘭，也有香港股市的恒生指數被炒高至一千七百點後，暴跌至一百二十！這些發神經的例子跟貨幣政策沒有明顯的關係，而對經濟整體沒有嚴重的不良影響。好些歷史書說荷蘭的鬱金香危機嚴重地損害了當時荷蘭的經濟，但五十多年前我的一位老師 Warren Scoville 作過深入詳盡的考查，結論是鬱金香球莖發神經地大升大跌是事實，但經濟危機沒有出現過。沒有因為借貸膨脹而出現的泡沫，永遠是經濟整體的局部，為禍不大。

跟貨幣無關的市場泡沫的經濟理論，起自一八七九年馬歇爾出版的那本今天少人知道的小書（*The Pure Theory of Foreign Trade and the Pure Theory of Domestic Value*）。這本書提出"不穩定均衡"（unstable equilibrium）的分析，可以有爆炸性的泡沫，是從物理學借過來的玩意。我不同意這種均衡理念，因為經濟學的均衡不是真有其事，在真實世界無從觀察。這是科學方法上的話題，我在《科學說需求》一書內手起刀落，解釋過了。

牛群泡沫源自訊息不足

我認為像牛群直覺那種盲目地一窩蜂地走而導致的市場泡沫現象可以出現。尤其是股市，我認識太多的股民根本不知股票何物，更勿論什麼市盈率、資產淨值之類的學問了。見人買就買，見人賺錢就以為有錢可賺，而跟着一窩蜂地沽出可能促成泡沫現象的出現。樓市不會像股市那麼容易地促成一窩蜂的行為，因為一間房子是什麼不可能不知道。昔日荷蘭的市民也知道鬱金香是什麼，一窩蜂地炒出泡沫是因為他們不知道那些稀有品種的培植不是那麼困難。

第六節：借貸泡沫與經濟大蕭條

二〇一四年在深圳的一次講話中，我指出經濟大蕭條不應該從經濟下降多少看，而是要從經濟不景持續多久的角度看。經濟下滑後歷久不振的情況很少見，近代歷史顯示世界只出現過三次。其一是上世紀三十年代起自美國的世界經濟大蕭條，其不景氣候持續了二十多年，要到二戰才把這蕭條打散。其二是日本上世紀八十年代後期起的因為樓市暴跌而帶來的蕭條，距今近三十年還是沒有見到明確的起色。其三是二〇〇八年出現於美國的金融風暴，把歐洲也拖了下去，距今八載，也沒有明顯的起色，不知何時才再見天日了。

在上述的三次不幸的發展中，大家久不久會聽到經濟復甦之說，說來說去，但還是不景依舊，政治人物的樂觀言論令我們聽得討厭了。好比日本，年年都說經濟有好轉，但過了二十九年的二〇一六，他們竟然推出負利率意圖挽救經濟。這害得日本的居民紛紛購買保險箱，把鈔票放在家中鎖起來，不要存入銀行補貼利息。鈔票是最重要的貨幣，那裡的央行當然趕着印製鈔票，在此期間日圓的幣值逼着要在國際上升值。他們的難關未過也！一旦那裡的銀行改為正利率，效果如何要看他們應對的智商如何了。

我們當然不要幸災樂禍，但有趣的問題是為什麼經濟不景會持續那麼久。近代歷史我們只有上述的三次經驗。為什麼歷久不景呢？我找到的唯一線索，是這三次經驗發生之前皆出現了好一段時日的借貸膨脹，導致資產（尤其是房產）之價大升了一段時日，然後借貸的泡沫出現，導致資產之價大跌。資產或財富大跌的現象不罕有，但經濟因而歷久不振很少見。源於借貸膨脹了一段時日然後泡沫性地破裂，出現過三次而三次的效果也帶來我說的歷久不振的經濟大蕭條。

真的是有着這麼的一個規律嗎？只三次的經驗不足夠，難以肯定。如果真的是一個規律，我們要怎樣解釋呢？我沒有肯定的解釋，但可以嘗試。要記着，我說的經濟大蕭條不是指經濟暴跌，而是經濟下跌後歷久不振。

我要首先指出的，是借貸膨脹不是貨幣量膨脹，而是在債務文件的紙面上的借貸大升。考慮二〇〇八年出現於美國的金融風暴吧。這借貸膨脹不僅是多人把資產按出去借錢，再加上的是資產按出去後，拿着該債權紙的人又再把該紙（其實是一種債券）按出去。這是合法的，而據說同一貸款轉按多次。如果每個借錢的人一定還錢，一項借貸轉按多次沒有問題，但其中一個不還錢整條債線會出現困難。借貸市場出現了很多人這樣做當然會導致借貸的總量大升，但不需要有貨幣的供應量大升，因而沒有不可以接受的通脹。然而，資產的價值會因為借貸之量大升而大升，這借貸膨脹的破裂當然會導致資產的價值大跌。

讓我轉到天才費雪的基礎方程式，試行解釋上述的借貸泡沫帶來的經濟持久不景。這方程式說一個人的財富是預期的收入折現而得的：如果利率不變，預期的收入上升財富會跟着上升。這是一個“引出”的概念（a derirative concept），即是先有預期收入然後有財富。當然對。但費雪可沒有說如果財富無端端地大升，預期的收入會怎樣。這是大麻煩！

這樣看吧。如果我擁有的房子的市價無端端地上升了一倍，那房子給我的收入預期會跟着上升一倍，因為我可以把房子賣出，把錢按市場利率借出增加自己的預期收入。問題是我的房子市值的大升（我的財富的一部分）不是基於自己的本領帶來的收入，也不是基於社會的預期收入增加，而是基於市場有人願意這樣出價。經濟整體的收入預期真的是上升了那麼多嗎？通常是，應該是，但房子的市值如果受到借貸膨脹的誤導，可以一律上升一倍，而實際的生產收入預期可沒有增加得那麼快。

這就是經濟下跌後歷久不振（我稱之為大蕭條）的原因。假設我是個五十歲出頭的人，有太太也有兩個孩子，計劃退休後享受一下天倫之樂，見到自己的房子的市值大升了好一段時日，我會為這個財富大升而計劃孩子的大學費用與退休後帶太太遊歷的享受。房子我不忙着賣出去了。然而，因為借貸膨脹而帶來的泡沫，我的房子的市值跌了一半，我的計劃要從頭再算，生活在很多方面需要調整，而這調整需要很長時日，甚至永遠不可能回復到房子價高時的樂觀預期了。

當然，我以房子為例只是社會財富的一部分，其他資產也是社會的財富。因為借貸的膨脹而導致社會的財富的急升，收入的預期急升，從個人看應該對，因為他可以把資產出售而把錢借出去，但從社會的整體看是不對的，因為不是所有的人可以一起這樣做。

借貸膨脹可以誤導！我們要客觀地衡量一個經濟的財富是否與該經濟的預期收入出現了一個脱節的情況。

參考文獻

A. Smith, *An Inquiry into the Nature and Causes of the Wealth of Nations*. W. Strahan and T. Cadell, 1776.

A. Marshall, *The Pure Theory of Foreign Trade and the Pure Theory of Domestic Values*, 1879.

A. Marshall, *Principles of Economics*. Macmillan, 1890.

I. Fisher, *The Theory of Interest*. Macmillan, 1930.

R. H. Coase, "The Nature of the Firm," *Economica*, 1937.

F. A. Hayek, "The Use of Knowledge in Society," *American Economic Review*, 1945.

G. J. Stigler, "The Economics of Information," *Journal of Political Economy*, 1961.

A. A. Alchian and W. R. Allen, *University Economics*. Wadsworth Publishing Company, 1964.

A. A. Alchian, "Some Economics of Property Rights," *Il Politico*, 1965.

S. N. S. Cheung, "Why Are Better Seats 'Underpriced' ?" *Economic Inquiry*, 1977.

S. N. S. Cheung, "The Contractual Nature of the Firm," *Journal of Law & Economics*, 1983.

G. A. Akerlof and J. Yellen, *Efficiency Wage Models of the Labor Market*. Cambridge University Press, 1986.

S. N. S. Cheung, *The Economic System of China*. Hong Kong: Arcadia Press, 2008; Beijing: China CITIC Press, 2009.

張五常，〈千規律，萬規律，經濟規律僅一條〉，《信報財經月刊》，1979。

這些變化的蹂躪不可以埋沒
供應是為了需求，不能忘記
需求定律界定的從鏡子看的
以邊際用值約束着的邊際成
本曲線仍然是供應曲線的主
要內容。

第二章：受價的行為

儘管當年諾斯、巴澤爾等同事認為我的新意層出不窮，我是個不喜歡標奇立異的人。重視傳統，我喜歡把自己的思想來源表達得明確，好讓同學們能較易跟進。大家要知道的是真理，是誰先想出來不重要——這是李嘉圖的傳統了。然而，有點奇怪，自一九六五年在長灘任教職開始，我對經濟學的看法跟傳統的有分離，而這分離與日俱增，到七十年代變得我想我的，他說他的。諾斯與巴澤爾之外，對我影響很大的前輩如阿爾欽、赫舒拉發、科斯、戴維德、施蒂格勒、弗里德曼等人，一律鼓勵我走自己的路。今天回顧，那是不容易想像的求學際遇了。

第一節：公司理論是重災區

提到上述，因為這章要轉到價格理論中最熱門的話題：公司理論（theory of the firm）。不是科斯和我分析的關於公司何物的 nature of the firm，而是產出與在市場銷售的分析。上世紀六、七十年代，阿爾欽及科斯等價格理論大師認為傳統的公司理論是重災區。受價的分析如是，覓價的分析更如是。他們當然嘗試改進。我也嘗試改進，但走的是自己的路。

跟馬歇爾走不同的路

我跟傳統的公司理論有幾個地方過不去。其一是該傳統對真實世界的市場運作不重視。雖然馬歇爾在十九世紀七十年代跑了幾年工廠，但他重視的是工資與產品價格的釐定，我認為是表面性的。一九六九年我自己開始跑廠考查時，注意力是落在合約結構那方面。自小從父親那裡聽到不少關於做廠的事，而一九六九年我已發表了《佃農理論》與《合約的選擇》，寫好了《合約的結構》，知道這些是經濟學的重要缺環。

少了沙石再看問題

其二，從本科起我不清楚傳統的公司理論假設的局限是些什麼，而進了研究院，老師們回答不了我的提問：公司理論假設的交易費用局限是些什麼？一九八一年，當我構思如何為倫敦經濟事務學社寫《中國會走向資本主義的道路嗎？》時，突然驚覺：如果所有交易費用是零，市場不會出現！跟着的大難題是：市場的出現是節省了些什麼交易費用呢？從一個廣泛的制度費用的角度看交易費用，我要過了二十年才看到市場協助節省的是租值的消散，而這看法要到二〇〇七年寫《中國的經濟制度》時才感到肯定。如果同學們發覺我今天的《經濟解釋》與十多年前寫下的有好些不同之處，那主要是今天我能更深入地從租值消散的角度看交易費用。這讓我把有解釋力的經濟理論結構從頭再想，這裡那裡有了新的變化。思想上少了一點沙石，很多老問題有了一點不同的看法。

成本不向前看一團糟

其三，上世紀六、七十年代，公司理論被阿爾欽等人認為是重災區，主要因為傳統的分析把生產成本搞得一團糟。長線短線、可變不變、自然壟斷等話題大家不能接受。經濟學者不是從解釋世事的角度入手，而是着重於什麼是無效率，什麼是有效率，什麼情況政府要管或不要管。碗形的平均成本曲線他們畫不出來。這些麻煩我在《收入與成本》的第六及第七章處理得滿意。我堅持成本永遠要向前看，大手引進租值的概念，把上頭成本作了一個新闡釋。同學們要回頭再讀這兩章才能容易地跟進我對受價與覓價的分析。

第二節：受價的概念

受價一詞是從英語 price taking 翻過來的，是老師阿爾欽的發明，今天在行內被接受了。傳統稱 perfect competition（完善競爭），是一個烏托邦的思維，局限究竟是些什麼要不是說得吞吞吐吐，就是沒有顧及。跟受價相對的是覓價，即 price searching，也是阿師的發明。後者指壟斷價格，即 monopoly pricing。二者之間有灰色地帶。

所謂受價，是說一個生產者出售產品時不會找尋一個價格——他只是跟着該產品的市價出售。競爭市場決定了市價，他就跟着市價出售自己的產出。如果他要求之價高於市價，一件也賣不出去。低於市價他不會選擇，因為只要接受市價他可以無限量地銷售。他的產量為何只是受到他的邊際產出成本約束着。邊際成本因為增產而上升，高於市價他會虧蝕，要減產，低於市價增產有利可圖。於是，邊際成本等於市價是這個出售者的產出均衡點了。這裡同學們要注意，如果一個生產者使用的資源或生產要素有空置，邊際成本曲線不一定畫得出來。這是第六章的話題。本章還是接受傳統，從邊際成本的角度釐定市價。

六線相交的均衡

受價含意着的是生產者面對的需求曲線是平線一條。面對的需求曲線是平線，產量多少其平均收入與邊際收入是一樣，是同一平線，也跟市價相等。達到上述的均衡點，邊際成本等於邊際收入，含意着利潤極大化。市價代表着市場消費者的邊際用值（見《科學說需求》），所以邊際用值跟邊際成本看齊，代表着帕累托條件是滿足了。這是經濟學傳統高舉自由競爭市場的原因。那所謂完善的競爭市場就是受價市場了。

我們還要多把一個相等的價值放進上述的均衡點。那是平均成本。假設平均成本曲線是碗形（這裡的麻煩同學要再讀《收入與成本》第六與第七章），在競爭下每個產出銷售者的“碗底”接觸着該銷售者面對的需求平線，也即是平均成本等於平均收入等於邊際收入等於市價。邊際成本曲線自下而上，穿過平均成本的碗底，於是風雲際會，達到了六線（平線包括着四條線，即平均收入、邊際收入、邊際用值、市價）相交的市場競爭均衡，決定了每個生產者的產量。

沒有盈利的兩句格言

在上述的均衡點中，平均成本等於平均收入，即是總成本等於總收入，沒有盈利（profit），但有利潤。利潤是成本投資的利息回報——要記着是向前看的成本——也即是市場給予的收入，遵守着費雪（Irving Fisher）的格言：利息不是收入的局部，而是收入的全部。同樣要注意的是這均衡顯示着成本與收入看齊，遵守着我提出的另一句格言：利息不是成本的局部，而是成本的全部。

同學們不要忘記，成本不僅永遠要向前看，也是最高的代價。收入等於成本，是說生產者面對的成本等於另謀高就的回報。沒有風落，盈利不會在競爭中存在。繼續經營需要有利潤，但不需要有盈利。在第六節我會分析歸屬租值，那是另謀高就的收入（成本也）之外的另一種成本，有趣的。

第三節：漠視局限人數不符

以縱軸為價橫軸為量，需求曲線向右下傾斜是需求定律。這是個別消費者的需求曲線。市場的需求曲線是所有消費者對同一物品的需求，由個別消費者的需求曲線向右橫加，即是每價加個別消費者的需求量。市場的需求曲線因而也向右下傾斜，遵守着需求定律。

傳統的分析及格嗎？

然而，受價的行為是指一個生產出售者面對的需求曲線是一條平線。市場的需求曲線向右下傾斜，個別出售者面對的卻是平線，因而要受價。傳統的解釋，是受價市場有數之不盡的消費者與出售者，而個別的出售者只佔同一產品的市場總量很小的、微不足道的一部分。只看橫軸，好比市場需求量的一公分代表着十萬件物品，而個別出售者的橫軸一公分只代表着五件，相比起來後者微不足道。這樣看，五件只代表着市場需求曲線上的一小點，把這小點向橫拉開，轉換了橫軸的尺度，個別生產出售者面對的需求曲線就近於平線一條了。近於平線但不是真的平線，推到盡頭市場的量無限大而個別出售者的量無限小，後者面對的需求曲線愈推愈近於平線。大約是平出售者就要受價。

上述是傳統説的競爭市場。覓價是指出售者面對的需求曲線向右下傾斜，所以要自己決定或找尋一個價，而推到盡頭該產品的整個市場只有一個供應者。一個出售者供應整個市場，面對的需求曲線是市場的需求，向右下傾斜，可以加價減產或減價增產，要覓價。那是壟斷，覓價因而又稱壟斷價格。

從邏輯推理的角度看，上述的傳統分析差強人意，但從解釋世事的角度看，就大有問題。在第八章我會引進訊息費用，得到的效能與傳統的有很大的分離。

寡頭競爭的處理

在社會中競爭永遠存在，無日無之。市場的銷售競爭也如是。第三章會指出，有壟斷權利的機構競爭也存在，只是競爭的地帶及方向有所不同。傳統上，經濟分析最麻煩的地方不是受價的競爭，也不是覓價的壟斷，而是只有幾個競爭者的寡頭競爭，oligopoly是也。可惜經濟學沒有出現過可以經得起時間考驗的寡頭競爭的理論，雖然一八三八年處理雙頭競爭的法國大師A. A. Cournot是個頂級人物，我拜服。上世紀八十年代初期起以博弈理論處理寡頭競爭再盛行。這玩意五十年代熱鬧過約十年，跟着銷聲匿迹，四分之一個世紀後捲土重來。說過了，博弈理論可以解決某些問題，但推不出可以驗證的假說，對解釋行為沒有用處。

我自己處理那所謂寡頭競爭的法門，是從微小之別看壟斷或從個別例子的局限變化衡量。例如兩間店子在街頭街尾賣同樣的咖啡，因為地點略為不同市場有別，各自面對的需求曲線不會是平線，某程度有覓價的選擇。從一般市場看，同類的產品細看有別，嚴格來說可以看為不同的產品，出售者可以跟着行家的價格走，也可以覓價。競爭無所不在，產品的質量有別或地區不同可以作為壟斷看。一般而言，替代物品愈多面對一個出售者的需求彈性愈高，即需求曲線愈平坦。我們要看問題及需要解釋的現象作取捨。同樣的市場我們有時以受價處理，有時以覓價處理，要看需要解釋的是些什麼。有時某些局限來得特別——例如某些政府法例管制——處理的方法也跟着不同。

哈佛大師不及劍橋夫人

產品有微小之別可以作為壟斷看是一九三三年哈佛的張伯倫（E. Chamberlin）發表的 *The Theory of Monopolistic Competition*（《壟斷性的競爭理論》）的主題。那是一本紅極一時的書，寫得好，可惜沒有經濟內容。作者提供的均衡是一個幾何曲線的巧合，而我認為他最大的缺失是對租值理念的掌握不到家，因而整個分析來得空洞，是定義性的玩意了。

要對同學們說的，是這裡牽涉到的是很少經濟學者注意、但我認為是重要的哈佛與芝加哥學派之爭，環繞着張伯倫之作究竟有沒有經濟內容。我可能是最後一個跟進這爭議的後學，當年花了不少時間思考，得到啟發，後來走通了自己的路。

當年在芝加哥，認為張伯倫的理論沒有經濟內容的主要是四個人：奈特、戴維德、施蒂格勒、弗里德曼。他們認為除了風落，市場不會有盈利（profit）——競爭受價或壟斷覓價都沒有盈利。他們也認為，算進租值，平均成本曲線永遠會落在沒有盈利的地方。弗里德曼在他的《價格理論》說得清楚：面對一個壟斷者的需求曲線是該壟斷者的平均成本曲線。說得有點怪，但重要。可惜弗老跟着說的不容易明白。他說一個生產者要爭取極大化的是非合約的成本。其實他應該說要爭取的是最高的租值。

這裡也要提及，同在一九三三年，英國劍橋的魯賓遜夫人（Mrs. Joan Robinson）發表 *The Economics of Imperfect Competition*，同樣分析張伯倫的話題。芝加哥學派與我的老師阿爾欽皆重視夫人之作，貶低張伯倫，我自己細心衡量後，意識到租值的處理是夫人勝出的地方。在《收入與成本》第五章第三節追溯租值理念的演變時我提到夫人的思想，說了感謝夫人的話。

租值變化與經濟內容

受到上述的影響，我花了長時日想出自己的、今天同學們應該重讀的《收入與成本》的第六章，尤其是關於上頭成本那部分。在該章的最後我寫道：

租值的攤分不是先有租值而後攤分，而是以產品的市價決定產品在直接成本之上的盈餘後，加起來而成租值。這就是上頭成本了。與歷史成本不同，租值是成本。上頭成本這個概念是重要的，但不能回頭看，要從租值的角度看。因為要入局的競爭者需要付出可觀的直接成本，入了局的上頭成本的租值由市場釐定，由市場維護，由市場攤分。漠視了上頭成本這個租值概念，競爭的行為與產品價格的釐定就難以解釋了。

受價與覓價皆如是。同學讀懂這一段，再找機會讀張伯倫的名著，會明白什麼才算是經濟內容。

潛在競爭者不能不算

回頭說受價，生產成本分析之外，我與傳統之見過不去的還有生產人數或單位多少的問題。有兩點。

第一點是生產的單位數量不應該指可以觀察到的。潛在的競爭者不能漠視，要算進去，雖然潛在的往往看不到，不容易算進。我曾經在一篇文章中提到如下的故事：

大約是一九六六年吧。我從賭城拉斯維加斯駕車到三藩市去，路經之地全是沙漠。天大熱，攝氏四十多度，汽車沒有冷氣，口渴之極。車行了很遠都四顧無人。後來到了一個地方，見有五、六戶人家，其中一家門前掛着可口可樂的招牌。我急忙跑進去，買了一瓶冰凍的可樂，只二十五分錢。我想，要是賣者叫價五元也相宜之極，為什麼只售二十五分呢？離開時，我見到有幾個鄰家的孩子在地上遊玩，恍然而悟。我想，要是賣可樂的人把價格提升，這些孩子會叫父母替他們購置冰箱，大做可口可樂的生意。

從上述及其他很多例子的觀察中，我得到的含意是凡是物品可以持久保留，是真是假容易鑑別（訊息費用低），而出售者可以容易地進入市場的，受價的行為容易出現，潛在的競爭出售者不需要很多。

討價還價是覓價

這就帶到我要說的第二點。有很多市場，尤其是在那些所謂落後的國家，討價還價的行為普及。討價還價顯然是覓價，購買者與出售者皆覓，面對個別出售者的需求曲線顯然是向右下傾斜的了。討價還價的行為本來是瑣事，但解釋非常困難，因為常在有激烈競爭的市場出現。我想了二十多年才找到答案，要到本卷最後一章才提供解釋。

是很久以前發現的難題了。一九六四年，我對老師阿爾欽說，香港的一些小街滿布小販，比比相連，大家出售類同甚至相同的物品，但顧客討價還價，結果是一些顧客的成交價可能比另一些的成交價相差幾倍。為什麼沒有一個出售者高舉“不二價”之牌，強迫他家跟着不二價，從而減低討價還價及顧客到處議價的費用呢？

今天在中國內地，討價還價的行為隨處可見，往往出現在競爭出售者眾多的市場。這顯然跟經濟學者歷來分析的市場大有差別。真貨也討價還價，但冒牌貨的叫價與成交價的差距一般較大。這可不是因為顧客不知是冒牌貨（沒有人那麼蠢），而是冒牌貨的訊息費用較真貨的為高。例如在同一商場，出售冒牌勞力士手錶的比比皆是，四百元開價識途老馬有機會一百五十元購得。事實上，你到一個攤檔要求勞力士的某型號，該攤檔可能叫你等一下，然後到另一家攤檔拿該型號給你。競爭者眾，互相合作，但討價還價是覓價行為，跟傳統說的競爭受價大有出入。訊息費用的局限當然重要，但要怎樣處理才對呢？不同顧客的成交價不同，是價格分歧，但跟傳統的需求彈性係數不同之見不合，傳統錯在哪裡呢？都是後話，按下不表。

能否退貨有決定性

老師阿爾欽當年不大相信我提出的在競爭激烈的市場出現的討價還價的行為，但他欣賞我的觀察力，研討了幾次大家想不出解釋。阿師不大相信在競爭激烈的市場買賣雙方會大覓其價，可能因為討價還價的行為在美國不多見。然而，過了美國南部的國界，到了墨西哥境內，討價還價普及。一界之別，市場恍若隔世。

為什麼在美國少見討價還價的行為呢？一個解釋是文化有別，但這解釋顯然不足夠。更為重要的解釋，是在保護消費者的聲浪中，美國的商店一般容許顧客退貨——購買後不滿意可以退貨拿錢，一分不減。不能持久保留之物——例如漢堡包——當然不能退貨，而事實上不能保留之物少見討價還價的行為。可以退貨拿錢，討價還價的行為當然難以出現：你花三百元買了一隻冒牌勞力士，事後知道一百五十可以購得，會拿回去換錢，討價還價於是少見——但在中國不容易這樣做。近十多年來，美國好些商店逼着大方一點，擔保顧客如果能在他店找到更低之價，會奉還價格的差額。這樣，討價還價更不會出現了。不要以為美國的商店較為合理：容許退貨，成本較高，他們會訂較高之價。不要以為討價還價會給出售者較大的利潤：在競爭下他們的平均價會低於容許退貨的。

訊息費用與攤數定律

討價還價是覓價，買賣雙方皆覓；“不二價”可能是覓價的後果，也可能是受價。邏輯上，覓價需要出售者面對向右下傾斜的需求曲線，這是傳統的壟斷定義。這樣看，上述的每家跟顧客討價還價的攤檔看來有壟斷性質，但有大問號，要到本卷第八章第七節我才提供詳盡的分析。另一方面，受價需要出售者面對的需求是平線，傳統之見是出售者要近於無數這平線才會出現。然而，從孩子出售可口可樂及其他實例可見，潛在的競爭者要算進去，而不管潛在不潛在，競爭出售的人數不需要很多。

訊息費用的變化有趣。我曾經推出類聚定律與欺騙定律（見本卷第八章的附錄）。這裡可再推出“攤數定律”吧。這定律說，物品的訊息費用上升，在競爭市場出售的攤檔數量會增加，但訊息費用升到某一點攤檔的數量會下降。這是說，以縱軸為攤檔數量橫軸為訊息費用，二者之間的曲線是先弧上後弧落。解釋是，如果訊息費用夠低，顧客無須多覓，在同一市場或商場只一個攤檔可能足夠。好比在杭州，某名牌皮包整個城市只一家店子賣真貨，賣該名牌假貨的則無數。顧客當然知道孰真孰假，但假的他們知道訊息不盡不實，要多覓。另一方面，訊息費用過高問津者會減少。

訊息及其他交易費用的存在對受價與覓價的行為無疑有決定性，而我提到的美國的例子，風俗及政府法例的局限也有決定性。我的投訴是傳統的分析沒有說明有關的局限。不要告訴我傳統的分析是假設交易費用是零，因為所有交易費用是零不會有市場。説過了，怎樣處理交易費用（包括制度及訊息費用）要從可以觀察到的邊際轉變入手。我將會用很多的不同例子給同學們示範。

我喜歡先掌握了真實世界的現象才以理論推出假説作解釋，不喜歡先以理論推出假説然後到真實世界找現象印證。前者要多花時間，也要找可能推翻假説的實例作驗證。後者靠想像，好此道者在找到實例印證時通常不會再找反證的實例。這算不上是驗證，不是科學的本質。

第四節：供應曲線與薩伊定律

説過了，物品或服務的供應是不需要畫出一條曲線的；傳統對壟斷的分析就不畫供應曲線。不是畫不出，而是不需要畫——只提出供應的價與量，以點處理，足夠。供應牽涉到產出，技術及局限的變化多，供應曲線可以有多條，花多眼亂，違反了理論以簡單為上的原則。另一方面，在《科學説需求》第九章與《收入與成本》第一章我解釋過，需求曲線與供應曲線是同一回事。這是最簡單的看法，上世紀六十年代我想出來，老師阿爾欽同意，後來我用幾何分析證實（見卷一第九章）。畫出曲線容易，闡釋其內容可不簡單。本節再解釋，是因為同學們要求比較重要的話題我最好從不同的角度再説。

從薩伊定律説起

從一個此前提及的例子説起吧。我收藏印章石，一方一方的，收了數十年，數量不少。今天，價夠低我還會多購；價升呢，我會考慮沽出。事實上，只要你出夠高的價，我會把自己擁有的全部賣給你。為什麼我會出售自己心愛的印章石呢？因為我有其他物品的需求。我供應是為了自己的需求，我需求是因為市場有人供應。

是簡單的道理，不可能錯。這裡舊話重提，我突然想到那可能是大名鼎鼎的起自一八〇三年的薩伊定律（Say's Law）的最淺版本，於是掛個電話給才子張滔（他是我認識的唯一的經濟學百科全書），請他替我重溫一下薩伊定律的舊課。張滔說薩伊定律有多個版本，而他舉的第一個版本是他昔日在倫敦經濟學院時老師 Lionel Robbins 提出的。我叫他不要再說第二個，因為 Robbins 的版本跟我的印章石例子完全一樣。我對此公心儀已久，相信他，不想受到其他版本的污染。

弗里德曼與凱恩斯

我跟着想到兩個有關的問題。其一是二十世紀價格理論高人弗里德曼曾經寫下，價格之外，決定需求的因素要與決定供應的因素不同，然而，除了生產活動有技術上的不同處，需求與供應還有什麼不同呢？弗老是很熟的朋友，早就想問他有什麼不同，可能認為不是那麼重要而忘記問。今天認為重要，但弗老不在了。希望本節能解釋得同學們明白，除了生產技術帶出的變化，需求與供應只不過是從兩個不同的角度看選擇。

另一個更為重要的問題，是薩伊定律被後人認為只能在沒有貨幣或限於物品換物品的情況下才對。其觀點是：貨幣只協助交易，如果被貯藏，藏而不用對生產沒有貢獻，所以在有貨幣的情況下該定律不能成立。這跟凱恩斯的思維一脈相承，認為儲蓄是漏失，不鼓勵產出，導致經濟不景。

我不同意，在《收入與成本》第三章第一節指出，投資與儲蓄是同一回事，只是角度不同。我寫道：

弗老問：一位仁兄花巨資購買了一幅油畫掛在牆上，是消費呢，是儲蓄呢，還是投資？我的答案三者皆是，只是消費那部分通常不大。油畫掛在牆上，每次觀看或讓親友欣賞是消費。原則上該畫作可以租回來，付出的租金是消費。不租，自己買下來，掛在牆上，每天放棄了的租金收入，或放棄了的利息，是消費。餘下來的畫價所值既是儲蓄，也是投資……把錢存放在銀行是儲蓄，但也是投資，有利息的回報。銀行一定要轉貸出去給其他消費者或投資者才可以不虧蝕。銀行不付息或負利率的情況出現過，但那是起於貨幣政策有所失誤。把錢藏在家裡，放在床底下，不用，稱作貯藏（hoarding）。這是最接近凱恩斯學派的“漏失”概念。同樣，我的母親二戰逃難時攜帶着一些黃金，不到危難之際不用。這樣的行為是購買安全或購買保障，像上文的購買油畫的仁兄那樣，利息的放棄屬購買保障的消費，貯而不用的屬儲蓄，也是投資。

貯藏有其用場

說貨幣協助交易是對的，但交易不需要貯藏貨幣。貯藏貨幣不可能沒有其他用途：有些人喜歡閑時數鈔票自娛，有些人以貨幣作為安全的保障，皆有所用。儲蓄與投資是同一回事，但我曾經指出，凱恩斯及其學派受到誤導的，是有些投資不事產出活動，對工人的就業沒有幫助，但不是漏失的效果。例如投資於不打算動土的土地，或購買古文物，皆不事產出。在好些前景大有問號的情況下，市民偏於採取不事產出的投資，於是誤導經濟學者。

我也曾指出，財富的累積需要有倉庫，而重要的是需要有些倉庫像古物收藏品那樣，沒有產出，其價值因而沒有上限。在《收入與成本》第四章的結語中我寫道：

邏輯上，不引進虛無悖論，財富累積的理論推不出來。以產出為主的資產，作為財富累積的倉庫，有收入預期以利率折現的上限。如果社會只有這類資產，沒有空置，產出的收入消費後餘下來的，不容易找到地方累積。虛無悖論說的倉庫，本身沒有產出，沒有收入折現，容納累積的上限不存在。任何社會，有生產力的資源就是那麼多，愈是運用得宜，收入增長愈快，財富的累積愈需要沒有上限的倉庫的協助。

不要以不事產出的投資來否定薩伊定律。今天看，依照張滔的老師的版本，我認為這定律永遠對，只是聽來有點空洞，有點套套邏輯的味道。但我們可以加進內容而使這定律豐富起來。

需求曲線也是供應曲線

回頭說我的印章石吧。選之為例因為夠簡單。讓我假設方方一樣，長存不變，暫且不牽涉到產出那邊去。如果市價六百一方我擁有一千，高於六百，我會逐步賣出去，到市價一千六百我一方不留。我的需求曲線向右下傾斜，縱軸為價，橫軸為量，市價一千六百我的需求量是零，市價六百需求量是一千。這曲線的每一點代表着我的最高邊際用值（見《科學說需求》第五章）。

從市價六百上升到市價一千六百，我出售之量是按着我對石章的邊際用值走，即是價高於邊際用值我會沽出，低於邊際用值我會留為己有。這樣看，我的印章石的供應曲線是在市價六百元以上的需求曲線對着鏡子看，即是從六百元上升起畫出一條向右上升的曲線。這是我的印章石的供應曲線了。跟我對石章的需求曲線完全一樣，只是對着鏡子看。

邊際用值是邊際成本

讀下去同學要認真了。從市價六百向右上升的供應曲線反映着我對印章石的邊際用值，一分不差。這曲線向右上升是代表着我要放棄的印章石的邊際用值。邊際用值是指最高的邊際所值，成本是指最高的代價，所以我的印章石供應曲線也是我的邊際成本曲線——不是印章石的邊際生產成本，而是放棄印章石來求取其他物品的成本。是的，供應曲線是代表着物品的邊際用值的放棄，最高的，而成本是最高的代價。

一個消費者對某物品的需求（或邊際用值）曲線是他對其他物品需求的邊際成本曲線，也就是他的供應曲線了。當然，以印章石為例我只論一種物品的放棄，而事實上一個消費者對某物品的需求往往要考慮放棄多種其他物品，每種放棄一點。這樣，他對某物品的需求所需要放棄的可能是多種物品的組合，選擇性地每種一小點，而這樣以一籃子物品組合而成的邊際用值曲線，對着鏡子看，就是他對該物品需求的邊際成本曲線了。這也是他的供應曲線。

引進生產活動

上面沒有提到生產活動。引進生產活動其分析類同，但多了變化。從一個獨行俠在街頭賣花生說起吧。此公產出需要放棄的是自己的生產要素的組合。對他來說，每項生產要素都是經濟物品，有自己的需求，有其邊際用值與需求曲線向右下傾斜的約束。這些邊際用值的放棄是他的供應的邊際成本，供應花生是為了其他物品的需求。需求定律之外，生產活動牽涉到邊際產量下降定律的約束，也有不同產量會有不同生產方法的選擇。這些對生產成本的影響我在《收入與成本》的第六章作了詳盡的討論。然而，這些變化的踩躪不可以埋沒供應是為了需求，不能忘記需求定律界定的從鏡子看的以邊際用值約束着的邊際成本曲線仍然是供應曲線的主要內容。

更為複雜的問題起於多人合作產出。以專業而分工合作有巨利可圖。斯密提出的造針工廠的例子不僅沒有誇張，更可能低估了分工合作之利。套入本節要闡釋的供應曲線，最簡單是把所有合作活動以件工處理看，雖然時間工資也普及。件工是一種合約，時間工資是另一種，還有其他合約形式可以選擇。合約的選擇是卷四的話題，闡釋供應曲線的原則哪種合約都一樣！斯密描述的造針產出的過程，原則上，每部分可用件工處理。

件工的角度讓我們看得清楚：每個參與分工合作的人是個獨行俠，投入自己的生產要素加上租用其他的。整件產品由很多的局部或零件組合，每個合作的產出者的供應曲線就像賣花生那個獨行俠那樣畫出來，然後把所有合作的產出者的個別供應曲線組合。

當然，如果我們引進不同的合約安排，分析的複雜程度會上升。這是公司性質的話題。這裡要指出的，是不管生產活動如何複雜，先化為件工合約看問題，弄清楚來龍去脈，才轉到其他形式的合約去，不僅推理快捷明確，更重要是引進交易費用時會協助我們怎樣放進去。科斯說因為交易費用的存在，公司替代市場，但從合約的角度看，這二者是不同合約的替代，市場一也。這重要話題我們要到卷四才討論。

分享利益的變化

這裡出現的複雜問題，起於分工合作帶來的收入往往遠超街頭賣花生。難題出現，因為分工合作帶來的巨大利益需要分享。由競爭處理怎樣分，經濟分析沒有困難，但牽涉到工會及政治的左右難度甚高。

分工合作帶來的利益是租值，要攤分。原則上，租值的出現只會影響平均成本，不會影響邊際成本，所以供應曲線不變。然而，加上邊際產量下降的約束與不同生產方法的變化，上述租值的分布可以隨產量之變而變。供應曲線會再有變化，重要的是邊際成本可以先下降而後上升。這不是指傳統的不讓某些生產要素變動的效果，我也在《收入與成本》的第六章討論過。

無論怎樣說，畫出曲線容易，放進經濟內容困難。何謂經濟內容有爭議。我個人認為，經濟內容是指需求定律的含意與成本概念的變化。供應曲線永遠環繞着需求定律與成本概念。薩伊定律是對是錯要看怎樣闡釋。本節提出的闡釋說這定律永遠對。我不懷疑有些行內朋友會認為我給薩伊定律的闡釋不對，因為薩伊說的是供應會創造需求，我說供應是為了需求。其實還有其他版本，我不要多花筆墨了。

結論的重點

上述給薩伊定律的闡釋重要。至於這闡釋是否薩伊的正確版本我不要爭論。幾個要點綜合如下：

（一）需求曲線對着鏡子看是供應曲線，邊際用值反過來看是邊際成本。

（二）供應是為了需求，不是創造需求。

（三）分工合作可以帶來巨利，是社會經濟增長的重要原因。

（四）從件工合約的角度看，個人獨自產出與跟他人分工合作是同一回事，只是前者加起來而成為後者。

（五）因為交易費用的存在，分工合作選用時間工資只是量度貢獻的方法不同，合約的性質不同，但還是同一市場。說件工是市場時工是公司——科斯之見——不對。

第五節：剪刀比喻誤導

作學生時我老是不大明白為什麼那完善競爭市場（即受價市場）的分析有供應曲線，而壟斷市場（即覓價市場）卻沒有。老師們無法解釋得我滿意。說一個壟斷銷售的市場畫不出供應曲線是不對的。有人畫過出來，只是沒有人用。說分析壟斷覓價可以只用成本曲線，不需要供應曲線，有道理，但競爭市場也可只用成本曲線。較有說服力的是競爭市場的供應曲線是由多個競爭者的多條邊際成本曲線向右橫加起來，而壟斷只一條邊際成本曲線，不用加。這是我作學生時能接受的最佳答案，但總是覺得有點不妥，好像欠缺了些什麼。複雜嗎？屬小兒科吧，因為到本卷第六章我會指出在好些情況下邊際成本曲線根本畫不出來。

二刃相交比喻模糊

我要到一九七三年構思《價格管制理論》時才恍然而悟：競爭市場有供應曲線是因為傳統要保留馬歇爾的那把剪刀。這是指市場供應與市場需求的兩線相交作為均衡點的、彷彿二刃相交的剪刀了。馬氏一八九〇年的巨著的卷五的第三章，題為《正常需求與供應的均衡》，其中一段這樣說：

> 我們或許可以合理地質疑，當我們用一把剪刀剪一張紙，究竟是上面的刀刃還是下面的刀刃在把紙剪開，正如我們問價值究竟是由功用還是由生產成本主宰着的。當一刃固定不動，另一刃把紙剪開，我們可能不小心而又簡單地説紙是由後者剪

開的。這樣說其實不正確，但如果只是作為一個通俗的說法而不是一個嚴謹的科學論證，是可以原諒的。

上面說的功用指需求，生產成本指供應。偉大如馬歇爾，我認為這段很有名的話說得似是而非，沒有真的解釋什麼，誤導了後人。是的，自馬氏之後的百多年來，經濟學第一課教的一定是供應與需求二線相交的那把剪刀，說在競爭市場這交叉是均衡點，決定了市價及成交量。價高於這點供過於求，有剩餘，市場壓力會使價下降；價低於這點求過於供，有短缺，市場壓力會使價上升。

結果不是理由

我曾經指出，供應量與需求量皆意圖之量，無從觀察，不是真有其物，而均衡是說有足以推出驗證假說的局限指定。局限要與世事相符，要可以觀察到，但均衡只是概念，不是真有其事，無從觀察。更重要是在市場上，在某些交易費用容許的局限下，供應與需求的二線相交的均衡只是競爭帶來的結果，不是決定市價與成交量的理由，沒有解釋什麼。我在《科學說需求》第七章第二節作了如下的申述：

> 市場需求與市場供應相交之價，可不是受到馬歇爾所說的剪刀決定的。市價的決定，是因為數之不盡的需求者與供應者，各自爭取最高的交易利益，以自己的邊際用值與面對的價格相比，或購入，或沽出，而這些行動或使價格上升，或使價格下降。達到每個需求者的邊際用值與價格相等時，大家的邊際用值相等，而含意着的大家相等的價格就是市價。達到了這一點，市場的需求曲線剛好與市場的供應曲線相交。

這段說的是有一個固定的供應量、沒有生產的情況。加進生產，邊際生產成本要放進去，邏輯推理一樣，只是市場的均衡變作每個參與的人的邊際用值等於市價等於邊際生產成本。市場的任何參與者可以是需求者或是供應者，又或者同一個人是二者的合併：賣花之人插竹葉，但也可以插花，自己有花的需求也。

讓我再說一次。市場的需求與供應二線相交的均衡，是市場參與的人各自為戰、各自爭取最大利益的結果，不是決定市價與成交量的理由。不要以為我吹毛求疵。差之毫釐，失之千里。傳統把需求或供應曲線移來移去來解釋現象的分析不一定錯，但往往是災難性的思維。

兩個示範例子

舉一個例子就夠了。傳統對配額的分析是把需求或供應曲線移來移去，或二者皆移。我對配額的分析可見於《科學說需求》第六章的第六節——《成衣配額的分析示範》——得到的結論與現象的解釋跟傳統的相去十萬八千里。我是從個人面對局限轉變而參與競爭的基礎入手，得到的解釋可以在事後以移動曲線的方法處理，但質、量與價皆有變，曲線圖表要更換幾個了。數學方程式也可以用，但要有解釋內容還是要從個人面對局限的競爭入手。斯密的傳統沒有其他法門。

我還可舉另一個例子。最常見的把需求或供應曲線移來移去的分析，是政府抽稅。這是我知道最可信的從一把剪刀轉到另一把剪刀的分析，也最有說服力。例如政府抽香煙的從量稅(unit tax，即每包抽一個固定的稅額)，香煙之價會上升。這是最順理成章的曲線移動了。然而，一九七〇年，巴澤爾和我研討香煙從量稅時，大家得到的結論是此稅也，會有增加香煙長度的效果。美國當時有些州份抽香煙從量稅，有些不抽。他追查資料，果然證實抽從量稅的州份出售的香煙較長。是有趣的現象，有趣的話題，淺顯的分析，有解釋力，但傳統的剪刀是剪不出來的。

大師之見可以改進

話得說回來，細讀馬歇爾的卷五第三章，不管他的剪刀比喻，他的需求與供應分析是大師級，雖然我認為他的成本與均衡概念皆可改進。他沒有後之來者提出的剩餘與短缺的分析那麼低能。張滔說馬歇爾是古往今來最偉大的經濟理論家，我同意，但偉大還是可以改進的。馬歇爾的剪刀均衡是一個市場運作的總結，好的，重要的，教我很多，作為後學我只是補充了應該怎樣用。我認為這均衡的主要用場，是如果觀察到的現象與這均衡合不來——例如有人排隊輪購——我們知道局限一定有變，要調查其變，然後從個人競爭的角度入手再推出另一個均衡。只把曲線移來移去的命中率不高，就是命中也不會有多少經濟內容。

第六節：租值含量主宰撤退

儘管傳統的競爭或受價市場的分析這裡那裡有問號，從弗里德曼一九六二（*Price Theory*）那個水平的分析看，大致上我們可以接受。弗氏的分析源自馬歇爾的傳統，對成本概念的掌握比馬氏高明，有了改進。可惜弗氏沒有在馬氏提出的上頭成本（overhead cost）那方面發揮，表演一下。馬氏對上頭成本（他又稱非直接成本，indirect cost）的分析，因為沒有堅持成本要向前看，是錯了。錯的分析可能是重要的思維。我在《收入與成本》的第六章為上頭成本大興土木，作出自己稱意的貢獻。

我認為弗里德曼及阿爾欽等前輩對受價的分析我們大致上

可以接受，因為大致上有市場現象的支持。在同一市場，同類及同質的製造品的市價大致相同。同一市場，農產品的市價一般比製造品的來得一致，顯示着農產品的交易更為接近受價的行為。最清晰明確的受價行為見於期貨市場，我會在第八節討論。

平均成本一樣租值不同

這裡要分析的，是那所謂完善的競爭市場在推理上有一個不大不小的麻煩。那是關於競爭者的撤退問題。此市也，面對一個競爭產出者的需求曲線是平線，是價，也是平均及邊際收入。邊際成本向右上升，穿過平均成本的碗底。假設沒有風落（windfall），因而沒有盈利，而成本是最高的代價——這樣，平均成本的碗底是貼着市價或平均收入。每個競爭者的產量有別，但平均成本相同，達到市場競爭的均衡。麻煩是如果市場的需求下降，市價稍為下跌，所有競爭者面對的產品平均收入會低於他們每個原來的平均成本。難道他們要一起關門大吉嗎？我們很少見到競爭市場出現一起關門的現象。那是為什麼？

答案是雖然在競爭下大家的平均成本一樣，但這成本包含着的租值結構彼此不同。經濟不景，或市價下降，首先關門的是那些在成本內的租值含量最小的競爭者。在《收入與成本》第五章我解釋過，租值是指收入變動而某些行為不變的收入。市價下降會使競爭者的租值下降，但只要租值存在，某些競爭者會繼續經營。一般而言，競爭者的租值各各不同，所以在市場不利的情況下，退出競爭的先後次序是按着他們的租值排列走，租值小的先退。

入局投資是直接成本

租值有好幾類。跟競爭市場有關的主要是兩類。其一是上頭成本，其二是歸屬租值（imputed rent）。上頭成本我曾作詳盡的分析，不是那麼易讀，這裡讓我借題再發揮吧。

上頭成本是那些因為入局需要作出的投資，或入局之後還需要補充的投資，但下了注後覆水難收的那部分。這是指已經付出了，或簽了不能反悔的合約而要繼續支付的費用，覆水難收或不產出也要支付的。上頭成本可以作為成本看，因為可以把生意賣出去而有所獲，或以股票出售股權。此獲也，可以高於或低於曾經付出的或不能解約而要繼續付出的。有價，因為想入局者也要付出類似的成本，也可能要簽類似的合約。還未入局的競爭者的入局成本全部是直接成本（direct cost），不入局不需要支付。是這些還未入局的直接成本約束着意圖入局的競爭者，使入了局的競爭者的產品可在市場獲較高之價。這較高之價，減除了入局之後要產出才需要支付的直接成本所獲的總和，就是上頭成本了。

記着成本要向前看，曾經付出的再不是成本，但有把生意或股份出售的選擇。出售生意或股份的收入是不出售的成本，但這不是基於曾經投入多少，而是基於可收則收減除直接成本的租值，由市場決定，由市場保護，由市場為眾多競爭者一起攤分。上頭成本可以有灰色地帶，增加了從這成本看退出問題的困難。別的不說，有些老闆就是不喜歡動不動解僱員工，或動不動解約，而另一些則喜歡這樣做，不管會否打起官司來。上頭成本的灰色地帶第六章處理。

上頭成本的變化

第二類對撤退有影響的租值，稱歸屬租值。歸屬租值與上頭成本那類租值有一點重要的不同。上頭成本雖然不是直接成本（後者指不生產不需要支付），但其存在一定要有直接成本曾經支付過。這是說，一盤生意未入局之前，打算入局的投資全部是直接成本。作了投資，入了局，歷史歸歷史，前途歸前途，原來的投資總有一部分成為覆水，帶來的收入可以很大也可以是零，由市場決定，成為租值，但這租值的變動，只要還是正數，是不會影響生意關門的決策的。

我們要小心處理上頭成本的變化。上文提及的灰色地帶不論，如果一家工廠的機械是租回來的，可以隨時不租，這租金的付出是直接成本。如果這機械是買回來的，付清了賬，租出去沒有人要，賣出去不值錢，但可以為工廠帶來收入，這收入的高低由市場決定，就成為我說的上頭成本了，是租值，除非下降至零其變動不會影響生意關門的決策。

我們可以容易地想像，一間工廠的機械只為這家工廠而設，地球上只這家可以用，為這家帶來很大的收入，是龐大的上頭成本，也是租值。這特殊的機械賣出去沒有人要，但有收入可以按給銀行借錢，而整盤生意出售可以很值錢——那是租值以利率折現。這機械帶來的租值是上頭成本。略為簡化，這機械沒有任何費用需要支付，其帶來的巨大收入全是租值。略為複雜化，這機械需要維修保養，不維修不能產出，維修保養的費用於是成為直接成本。

歸屬租值的來由

歸屬租值是另一回事。跟上頭成本的主要不同處，是歸屬租值的存在與入局之前作出任何直接成本的投資無干。邏輯推理是只要訊息費用夠低，一個競爭者的參進，在入局之際其歸屬租值是零，因為如果不是零他早就參進了。換言之，歸屬租值是在入了局之後，整個行業的發展有了勢頭，某些入了局的競爭者會有歸屬租值的存在及累積。

一個行動不便的老婦人在街頭賣小食，不容易找到其他工作，邏輯上是首先作小食生意的人。小食之價上升，入局者眾，這些後之來者的生產成本會較高，老婦人的歸屬租值於是增加。如果小食之價下降，放棄小食生意的競爭者該婦人會是最後一個，因為有歸屬租值保護着她。不是因為無能而有歸屬租值，而是因為有一種特別的比較成本優勢。你可以是個有多方本領的人，但在某一方你有特別的天賦，例如格外懂得怎樣管理某類生意，使生產的直接成本比行家的為低，你會享有歸屬租值。但歸屬租值可不是壟斷租值，後者的出現需要有一種與眾不同的產品或服務。

退出次序的排列

入了局，租值的存在愈大，撤退的意向愈小。上頭成本是租值，歸屬租值也是租值，二者之間哪一種對撤退會有較大的排列決定性呢？我認為是歸屬租值。理由是在同一行業內，產量相近的競爭者入局時需要投入的直接成本大致相若，發展下去大家的上頭成本也相近，所以在撤退的選擇上沒有歸屬租值那麼大的分歧。

一九九九年香港製造錄影光盤的回報甚高，湧進這行業者眾，產量相近作出的機械投資相若。當時光盤出口大熱，其價高達六美元一張。跟着價跌，二○○五年暴跌至出口美元一元五角（今天只數角），不少工廠紛紛關門。向銀行貸款入局、還欠債的首先關門，早就付清了債的關門押後，有些運作到今天。公司申請破產可以不還錢，欠債按期供款於是成為直接成本，上頭成本的租值因而較低，是關門較快之由也。

第七節：生產的邊際成本

以科學方法解釋現象是以理論推出可以被事實驗證的假說。世事複雜，理論的另一個用途是有系統地協助我們把複雜的現象簡化。有理論約束而簡化的世界，要與真實世界的情況沒有衝突，要不然，理論成為空中樓閣，沒有什麼解釋力。今天回顧，我恐怕這是近幾十年來西方經濟學的發展實況了。

從事經濟解釋半個世紀，過程中我不怕難題，認為有趣，但很怕複雜的世事。複雜的事很難想。弗里德曼健在時幾次勸導：不要想得那麼複雜吧！有理說不清。我喜歡在街頭巷尾觀察，也曾涉足於多種不同的生意，知道好些世事就是那麼複雜，以理論簡化談何容易哉。

跑廠勝檔案

在我知道的複雜世事中，除了自己毫無興趣因而從不涉足的政治課題，最複雜莫如生產的組織與運作。農業的運作不難掌握，但轉到工商業——尤其是工業——其複雜程度真的不易處理。同學不妨重讀我在《收入與成本》分析出版行業的第七章。複雜嗎？那是我知道的最不複雜而對生產成本有整體代表性的行業。

美國的經濟學發展，上世紀五十年代出現了一個熱門課題，稱"工業組織"(industrial organization)。發展這課題的重鎮是芝加哥大學，主要由戴維德與施蒂格勒搞起來，六十年代加進科斯。這課題美國的所有大學都教。教什麼呢？教反托拉斯！源自芝大的工業組織傳統是從反托拉斯案例的檔案學習。我曾經花了六年當兩件反托拉斯大案的顧問，知道有關的檔案資料往往誤導，不及跑廠調查那麼可靠。困難是工業的組織與運作一般複雜，不同行業各有各的不同，就算你要求什麼資料皆唾手可得，怎樣在其中掌握那些不可或缺的經濟原則是大難題。

要理解市場的三方面

經過多年的調查與綜合複雜的工商業世界，我得到的原則有三方面，都不淺。其一是公司的合約組織。是卷四的話題，這裡不詳述。本節要指出的是在財務責任上公司之間的界線可以劃分，但產出運作不能。後者是我一九八三年發表的《公司的合約性質》提出的一個觀點，楊小凱說行內稱之為“企業無界說”，究竟對行內有沒有真影響我沒有跟進。

其二是我認為非常重要的上頭成本與直接成本的區別。在《收入與成本》的第六章我分析過，不易讀，本章第六節再借題發揮。前者分析這話題主要是生產成本的討論，這裡帶進市場，其複雜性要多加一個層面了。

其三是生產的邊際成本。儘管同學們作本科生時熟讀，其實相當湛深。邊際成本曲線是個別生產者的供應曲線，加起來是市場的供應曲線，但邊際成本究竟何物不是淺學問，理解不當很多問題沒有答案。本節以之為題，因為我要把生產的邊際成本放在一個特別的位置，而到第六章我會分析畫不出邊際成本曲線的情況。

邊際成本要從轉變看

同學們知道，生產的邊際成本是產量轉變帶來的成本轉變，也即是微小的成本轉變除以有關的微小產量轉變。推理思考時，同學們不要想到數學微積分那邊去，而是要從兩個不同的情況（轉變也）比較，有需要時把其他不同的情況逐個加上去。邊際成本是情況轉變帶來的成本轉變，只兩點串連可成線。

我不反對經濟分析用數學方程式思考，但反對數樹木而不看森林。我也反對漠視做生意的人面對的真實局限。分析生產現象，我們是分析做生意的人的行為。雖然薩繆爾森等大師認為解釋人的行為不需要知道人自己怎樣想，但這樣推理需要猜測人面對的是哪些局限，命中率低。做生意的人面對的局限，為了生存他要知道。原則上每個生產決策者是從成本的轉變帶來的收入轉變那方面想。不需要懂得數學，但他的想法是數學邏輯。我們可以再引進阿爾欽的高見：一個什麼也不懂的做生意的白癡，只要能生存，就是依照着邊際收入不低於邊際成本的數學方程式走。這是說，生產供應按着市價等於邊際成本走是簡單的選擇，只是轉到壟斷市場時增加了變化，因為需要覓價，是後話。

真實世界的局限千變萬化，做生意的人於是左盤算右盤算，每一變的考慮都牽涉到成本與收入。邊際成本的變化於是繁多，我們要怎樣取捨來解釋行為呢？

我在本章第四節說過，供應曲線其實是需求曲線代表着的邊際用值曲線對着鏡子看。這內容重要，而轉到生產需要補充的變化我解釋過了。在《收入與成本》第七章分析出版行業時，我指出產量有書“本”量與書“號”量的變化，分析用錯了是嚴重的錯失。本卷第七章分析價格分歧與捆綁銷售時，我會指出這種錯失比比皆是，顯示着經濟學的傳統不重視假說的驗證。

邊際轉變只能從直接成本看

我認為邊際成本是市場產出的重心話題，因為邊際代表着變動，成本代表着局限。邊際成本是局限的變化。引進上頭成本與直接成本的區別，最重要的一點是邊際成本只能以直接成本算，與上頭成本無干。說過了，直接成本是不生產就不需要支付的費用，也即是說只有直接成本可以塞進或放進生產的邊際成本曲線。上頭成本或歸屬租值可以放進平均成本，但不可以放進邊際成本。邊際成本是因為產量之變而變；直接成本不生產不需要支付，也只能因為產量變而變。二者於是相同。上頭成本是入局之後覆水難收的那部分，或不生產也要支付的費用，是由市場決定的租值，不回頭看，向前看，是不會因為產量之變而變的。歸屬租值也如是，只是沒有上頭成本的在入局之前需要付出的直接成本。同學們不要忘記，上頭成本與直接成本之間往往有灰色地帶，是難題，本卷第六章處理。

讓我從一個簡單的例子說起，然後推到比較複雜的層面去。

單一產品的例子

假設我購買了一間廠房，付清了賬，不租出去，自己購買原料及聘請工人生產，只一種產品，簡單的。原料費用及不生產不需要支付的工資是我的直接成本，產量上升成本上升，邊際成本可能先向下走，生產率上升早晚會使邊際成本上升。畫出的邊際成本曲線不能算進廠房之價或租值，因為不產出或產量不變，廠房的租值代價也要支付，而入局之前把廠房買下來，是當時作出的直接投資成本，今天回顧是歷史，向前看，我的產品以市價出售，可收盡收，高於直接成本（即上述的原料費用及工資）那部分是我的生意的租值，上頭成本是也。這租值可以高於或低於投資買廠房的資金的利息回報。

直接成本有邊際成本曲線，也有平均成本曲線。上頭成本沒有邊際成本曲線，只有平均成本曲線。包括上頭成本的平均成本曲線是事後興兵，租值是多少就加在直接成本的平均成本之上，也即是產品可以出售之價為何，包括租值的平均成本就為何。在受價市場我面對的需求是平線，也是價，爭取最大利益的均衡是價與邊際成本看齊，包括租值的平均成本曲線的碗底於是貼在價線之上，只算直接成本的邊際成本曲線穿過直接平均成本的碗底，繼續上升，也穿過包括租值或上頭成本的碗底。

施蒂格勒曾經說平均成本曲線沒有用途，那不對。用途不大，但只憑邊際成本曲線我無從知道應否關門。原則上，撤退或關門的決定是基於市價低於直接平均成本。這裡有些麻煩：市價不單是現有的市價，預期市價的考慮可能更重要，而直接成本也有預期的考慮，因為熟能生巧，生意做下去有機會減低成本。預期的問題永遠不容易處理，但同學們可在這裡的討論中知道，傳統以可變成本及不變成本的區別來分析撤退問題是不對的。

多種產品的例子

提升一個複雜層面，如果一間工廠要產出多項產品，或有時產這種有時產那種，多了變化，會有兩方面的問題出現。較為簡單的一面是撤退問題再不應該從整盤生意看，而是要從不同產品的撤退看。停產任何產品都是撤退，而整盤生意還可以賺大錢，不用關門。較為複雜的一面是同一工廠，產出甲要用的場地需要放棄產出乙的利益。這利益的放棄是產出甲的直接成本。這是說，雖然廠房是買了下來，歷史歸歷史，廠房的成本只能從上頭成本的租值看，但廠房之內的場地怎樣分配使用會不斷地有直接成本的考慮：放棄乙的利益是產出甲的直接成本。原則上廠房之內的同樣場地，每部分的租值回報要爭取相同。這樣安排是爭取上頭成本或總租值極大化需要的。

我曾經給香港的學子出如下的一道試題：“酒家出售食品，食料成本昂貴的菜式，例如海鮮、燕窩之類，其毛利的百分率永遠比廉價食料的為低。那是為什麼？”毛利是菜式的售價減除食料及燃料的直接成本。答案是不同菜式的進食時間大致相同，而每張餐桌都有租值，如果不同菜式的毛利百分率一樣，那麼進食昂貴食料菜式的會付高很多的桌租，進食廉價的會付很低的桌租，使桌與桌之間的租值有大分離，二者相加酒家的總租值會下降。當然不容易把每桌的租值一律拉平，但減低昂貴食料的毛利百分率，或提升廉價食料的毛利百分率，有拉平每桌租值之效。拉平桌與桌之間的租值是爭取總租值極大化需要的。放棄乙的進食毛利是招待甲的直接成本，可以從邊際成本的角度看，但上頭成本或總租值是在競爭下得到的收穫，不是直接成本，塞不進邊際成本那裡去。

產出互放的例子

再提升一個複雜層面吧。這是關於公司產出無界的問題。財務的責任有界，但產出活動無界。後者在中國的工業常見。一家工廠接了訂單，往往把局部、有時甚至全部發放出去給其他工廠造，接訂單者對購買者負責。轉過來，這家工廠有閑置的房地或機械、員工時，往往樂意接他家的製造要求。

經濟學傳統對競爭市場的分析，“長線”看有所謂“數目效應”(number effect)。這是說短線只考慮現有的某行業的機構或公司的數目，長線則要考慮公司數目的增加或減少，從而決定市場供應曲線的彈性係數會有怎樣的轉變。從財務責任有界定的角度數公司，其數目可以數得出來，然而，市場對某產品的需求上升，參與產出的資源當然增加，但公司的數目會否增加不容易肯定。產出活動公司無界，財務責任公司有界。在香港，成立有界的法定公司費用相宜，有些人一個擁有數十家，把名片印得像本小冊子。

可以肯定的是市場的需求上升，這行業的生產要素或資源的投入會上升。其他因素不變，產品的市價上升是因為整個行業的邊際成本上升。這上升的或大或小跟競爭產出者互相把訂單發放的普及程度有一定的關係。一個競爭者的邊際成本怎樣看呢？

你為我產出，我也為你產出，大家互相支付的都是直接成本，跟酒家內的桌與桌之間的競爭使用沒有什麼不同。這裡的重點是互相發放可以減低生產要素的閑置率，從而減低邊際成本的上升幅度，使整個行業的供應彈性係數增加，上頭成本的總租值因而上升。說過了，競爭與合作不一定有衝突。同行如敵國的情況是指搶客或搶員工，有時也出現我還沒有機會寫出來的"埋堆"競爭。一般的觀察，是除了那些很小或產品很特別的工廠，全不發放在中國很少見。

工廠之間互相發放工作的情況不是中國獨有，但中國的特別誇張。這種生產互放的運作需要競爭者在地區上集中，例如陽江產刀，溫州產打火機等，數起來不止一百個例子吧。這是家常日用品的製造中國雄視天下的一個原因。

傳統曲線不可教

今天同學們在課本上讀到的生產成本曲線的分析，還是基於Jacob Viner一九三一年發表的《成本曲線與供應曲線》。此君大名，先在芝大後在普林斯頓任教。該文的一處幾何失誤很有名，但不重要。重要是該文說的沒有什麼經濟內容，今天八十年過去，同學要背的還是那一套。是悲劇。我很懷疑

Viner 教授當年有進過工廠。

可能也是該教授帶起的話題，是那所謂外部效應(external effects)對生產成本的影響。這是關於一個行業因為市場需求上升而擴張，競爭者之間互相影響，大家的產出成本會是上升還是下降呢？傳統的答案是二者皆可能，上升是因為外部效應，下降也是因為外部效應。

簡單的真理

我的看法比較簡單。不管什麼外部內部，只管資源供應量的約束足夠。我認為如果土地的使用是某行業需要的主要生產要素，需求上升其產品之價一定上升。樓房的建造也是工業，中國的經驗可教。石油、金屬等作為主要生產要素的例子也類同。另一方面，如果知識資源是主要的生產要素，該工業的擴張發展會有產品之價下降的效果。這是因為人類腦子多而彈性高，科技知識是共用品，持久地維護專利不容易，加上有了新知識可以賺大錢，參與研究的人無數。這些年數碼科技的產品之價不斷下降不是很經典嗎？科技工業開始有成時其租值很高，跟着在競爭下跌得很快。

上世紀九十年代，我為一間出版社訂購一部電腦，左議價右議價，選好了，付了錢，貨還沒有送到其價就跌了一半。吵得一團糟，結果怎樣我沒有跟進。

第八節：交易速度與期貨市場

奇怪經濟學的傳統沒有分析甚至提及交易的速度。速度問題重要，但因為牽涉到訊息或交易費用，處理不易。讓我從市場交易的不同速度看交易費用的問題。

要出售一間房子嗎？找專業人士估價，按此價而沽，你可能一年也賣不出去。有時倒轉過來，按估價出售不到一天就賣出去，甚至可能出現幾個買家競爭搶購，結果是成交價高於你要求的。

不知價是大麻煩

不能肯定市價為何是問題，市場的供求常有變動是問題，而不容易遇上剛好對你的房子大合心意的買家也是問題。減價當然可以提升房子出售的速度，但減到哪個價位你認為可以接受而立刻會有買家呢？不容易知道。這些困難解釋了樓房出售的廣告特別多。

有趣的現象是樓市極淡之際廣告一般少（一九六七年的香港，樓房廣告下降至近於零），樓市大旺時也不多。在西方，樓市遇劣勢會多見出售之牌豎在洋房前的草地上。這種廣告的費用近於零也。我指出的規律可沒有錯。不久前一位美國朋友說，那裡樓市的重災區很多要出售的房子不豎牌，可能因為明知不會有問津者，或欠銀行錢讓銀行處理算了。

不知價是訊息費用帶來的大麻煩。說什麼有價無市其實是說不知價。拍賣是一種"強迫"顧客出價的方法。其實，凡是多過一個顧客競爭的交易皆屬拍賣。這裡說的拍賣是賓客雲集於一堂，由拍賣官叫價然後下鎚的大家熟知的那種。造價與欺騙的行為不論，拍賣的一個主要功能是交易的速度快。

英式與荷式拍賣

拍賣的形式有多種，這裡只談兩種。其一是我們常見的拍賣藝術品和收藏品的那種英式拍賣（English auction）。那是由一個低的估價叫上去，價高者得。土地或樓房等拍賣不論，幾年前我算過，一件藝術品的平均拍賣時間約一分鐘。這是很高的速度，但除非沒有底價，拍不出去的（稱流標）要另尋去路。另一種有趣的是荷蘭拍賣（Dutch auction），快很多。那是從上面高價叫下來，第一個舉手接價的是成交者。因為沒有底價，荷式拍賣一般是全部成交的。

上世紀七十年代，為什麼會有荷式拍賣行家朋友們吵過一陣，我接受的解釋是因為快。有不同意的高人。我的證據是荷式拍賣主要用於鮮花。荷蘭盛產鮮花，天還未亮分堆拍出，趕着應市。逾千堆要在兩個小時清貨。鮮花不鮮其價值跌得快，不吉不利也。

期貨合約與預訂合約

這就帶到更為有趣的期貨市場（futures market）。那是個非常湛深的市場，可幸其基本的原則還算直截了當。期市的學問是深在同學們不需要知道的細節上。期貨（commodity futures）合約是現在買賣雙方同意將來某日某貨某量在某地交收的合約。原則上這跟預訂合約（forward contract）的性質相同。後者內地稱遠期合約。不對，因為預訂合約可以為期甚短。

Forward contract（預訂合約）普及。買樓花是一例；結婚訂酒席是一例。任何訂貨皆例子。你答應明天請我吃午餐也是預訂合約了。期貨合約（簡稱期市）當然也是預訂合約，但有三處不同。其一是像拍賣那樣，期市通常在一堂之內集中由仲裁者或莊家執行，雖然這些日子互聯網興起莊家的操作有什麼改變我沒有跟進。

其二是期市在到期時很少真的用實物交收。買樓花（預訂合約）到期時賣家要交樓，但期市有百分之一需要交貨美國的《華爾街日報》會報道，算是新聞。這是說，絕大部分的期貨合約到期結算時需要交收的，是期貨之價的前、後差數，有贏家，有輸家。有賭博性質嗎？當然有，但不管期貨不期貨，市場的任何交易都有賭博性質：購買一個蘋果你賭是可口的，雖然不一定是。

期貨合約與預訂合約第三項的分別主要是概念上的，難以觀察到。這是期市容許物品市價變動帶來的風險承擔者跟物品的使用者分離。這是說，有期市處理的物品，使用物品的人可以藉該市的存在而把市價變動的風險推到希望從市價變動而獲利的人那邊去。

價知得快交易也快

任何物品，沒有預期的市價變動期市是不會出現的。然而，差不多市場的所有物品都有預期的價變。在數以千計的市場物品中，能有期貨市場處理的歷來只二、三十種。這可見能成期市很不容易。

理解期市的形成與出現對我們這章的分析重要，因為期貨之價市場知得快，交易的速度比荷式拍賣更快。另一方面，有期市處理的物品的市價清楚明確，眾所周知，增加了不參與期市的人在其他市場運作的方便。從價格取捨的角度看，期市是我知道最明確的受價市場：買賣雙方皆受價，沒有討價還價的空間。不是出自看不見的手，因為要有作仲裁的公證人，也有眾多的莊家在競爭，處理合約。當然，股票市場也有類同的交易速度與安排，但股票不是物品，好些股民不知購買的是什麼，有點像購買彩票。期市交易的是物品，雖然少有實物交收，但物品的用途為何大家知道。然而，正如上文提到，能成期市的物品歷來不過二、三十種。這可見期市的形成遠比市場的一般物品困難。

價變惹投機

期市難成，因為要滿足四個條件。其一，前文提及過，一種物品能成期市要有足夠的價格變動的預期。這裡要補充的，是價格的預期變動要足以引進夠多的訊息不同的投機者。投機（speculate）與投資（invest）是兩回事。投資是為了有產出或有租金或利息的收入回報；投機是希望從價格的變動中獲利。有些行為，例如購買房子，投資與投機往往並存。投機是純從價變而獲利的行為。你購買黃金，不管戰亂逃難時可作防身帶來的無形收入，只希望金價上升而獲利，是投機。

期市的存在鼓勵對某些物品的前景訊息掌握不同的人，或那些認為自己對某物價的前景有獨得之秘的，集中地在期市買空或賣空，或獲利，或虧蝕，但多方面的訊息是在期市集中起來了。買空、賣空是淺學問，但有深變化。我答應以某價出售一幅書法給你，但還沒有寫，是賣空或沽空。成交是雙方的事，你是在買空。期市是今朝約定他朝以某價成交，買空賣空是例行的了。然而，我要在期市沽空某物品時，不一定立刻有該物品的買空客。莊家於是出現，按市價接受我的沽空合約，然後等買空客。這些莊家很專業，掌握的買賣合約訊息多，要競爭，雖然他們有機會虧蝕，但一般是收入可觀的。期貨市場常有沽空與買空的合約量不等的情況，到期前市價的變動會處理。

把不同的訊息集中運用於期市，有可靠的效果嗎？這即是問，期市的存在，會否準確地讓今天的市場推斷他朝的市價呢？原則上，如果訊息運用集中得宜，期市的存在會使今朝之價與他朝之價的差距減低至利息費用加倉庫存貨的費用。經過多方的實證研究，經濟學者得到的結論可不是那麼理想。有季節性的物品——例如農產品——期市的存在一般會拉平今天與明天之價。然而，農產品的季節性眾所周知，不需要期市的存在總會有人用倉庫存貨，待價而沽，把不同日期的價格加以拉平。另一方面，沒有季節性的物品，例如金屬、石油之類，這些年的價格大幅波動不免顯得期市對拉平不同日期的市價沒有大作為。這可見國際上的政治，或戰爭的出現與終結，其訊息是不容易由市場掌握的。好些經濟學者相信政府可以在期市賺到錢：秘密地準備出兵可先在期市下注。

原則上——也只是原則上——期市可以在完全沒有物品交收的情況下出現。毫無物品交收的期市像賭足球，期市只是賭價變，到期時只看貨價的變動算輸贏。雖然我在前文提及期貨到期時需要真的交收貨物的機會甚微，但合約指明到期時買家有權要求按價收貨非常重要。這是因為市價可能不盡不實，而出術瞞騙的行為不罕有。上世紀六十年代，盛產咖啡的巴西，其政府涉嫌假報咖啡豆失收，意圖在期市獲利而鬧出醜聞。

物品質量規格重要

第二個條件，是能成期市的物品一定要有清楚明確的質量或規格。製造品歷來難成期市。有指明純度的金屬最容易，農產品與木材次之。比起製造品，這些物品的質量規格遠為容易劃定。石油有期市，但不容易。上世紀七十年代我為一間石油公司調查為什麼石油期市那麼難成，得到的一個原因是石油的質量變化大，而市場的人不容易明白石油的多方面質量的量度與變化的含意。

要有倉庫存貨

第三個條件是要有存貨專家的參與或有足夠的存貨倉庫。金屬或石油可存在地下，有需要時可加速開採，但農產品就沒有那麼方便了。期市的一個功能是穩定物價，但存貨的倉庫不足則難以穩定。昔日的雞蛋期市是最明顯的需要倉庫協助的例子。上世紀三十年代，雞蛋期市在美國風行。當時的母雞主要在春季產蛋，有季節性，以冷倉存貨，高峰期時達一千萬箱。後來養雞產蛋的知識大有長進，產蛋逐漸季節平均化，到了六十年代後期冷倉存蛋只約二十萬箱，雞蛋的期貨合約跟着大幅下降。今天還有沒有雞蛋期市我沒有跟進。

這裡我要回頭再說石油期市難成的話題。當年我對石油公司指出，雞蛋期市大幅下降是因為知識的長進促使產蛋沒有季節性，讓雞蛋直接由母雞生出送到市場，而石油也是從地下抽出直接運到煉油廠，一般不停頓，是石油期市不易成立的另一個原因。為了國防而貯石油是另一回事。石油價的大幅波動主要源於政治，而我們的觀察顯示市場難以處理政治的訊息。

交收地點約束出術

最後一個需要的條件，是期貨合約到期時要有一個明確的交收地點。雖然需要交貨的機會甚微，但指明地點不僅重要，而地點的選擇一定要是有關物品成行成市的地方。這是因為雖然到期時一般不用交貨，但不成行成市容易造價，而更重要是投機的期市客可以用囤積的方法在期市“逼倉”，所謂 corner the market 是也。

有名的例子是上世紀七十年代，兩個美國的大富兄弟大手購入白銀的期貨合約，據說準備在合約到期時一律要求收貨，市場交不出白銀之價會暴升。這對兄弟開頭賺了很多錢，最後破產收場，因為算錯了一着。他們沒有想到美國的家庭主婦收藏了不少以純銀製成的餐具，見到銀價升得那麼高她們紛紛把結婚時收到的銀器禮物出售，整個銀市跟着狂沽，導致急升後的銀價暴跌。

投機協助對沖

最後讓我轉到期貨市場的一個熱門話題：對沖，hedge是也。投機與對沖是同一錢幣的兩面，不一定要在期貨市場操作，但期市無疑是這對孿生兄弟的天堂。説過了，投機是賭將來的物價，希望從價變中獲利。對沖是投機錢幣的另一面：與其要從價變中獲利，對沖是要保護一個賺了的價，或要避免價變可能帶來的損失。基本的原則説，對沖是放棄市價波動可能帶來之利，來避免同樣的市價波動可能帶來的損失。

對沖的方法是簡單地採用與投機對立的位置。一個購進了或持有麥的人，可以在麥的期市沽空，稱出售對沖（selling hedge）。另一方面，一個沽空了麥的人（他答應了以某價在某日出售麥），可以在麥的期市購進，稱購入對沖（buying hedge）。出售對沖與購入對沖皆可協助上述的麥農或麥商做安定的生意，讓投機者承擔價格變動的風險。這是投機者給市場的主要貢獻了。

基準的穩定性是問題

對沖容易做，但要成功地通過對沖來爭取安定的效果不容易，因為需要有一個穩定可靠的基準（basis）。Basis不是淺學問，這裡只能從最淺的角度説一下。那所謂"基準"是指一種物品的現價與期價的關係。如果今天某物的現價升二元，半年後的期價也跟着升二元，那麼基準就是穩定了，可以安全地對沖。絕對穩定的基準難求，不得已而求其次，對沖客要求夠高的現價與期價的相關係數（correlation）。如果現價與期價的變動是毫無關連的，對沖不會有半點意圖的效果。

另一方面，對沖不一定需要用同樣的物品。上文提到的麥商購進了或沽空了麥，不一定要用麥來作對沖。任何與麥價有關連的物品，例如米，也可以作為對沖的選擇。問題是上述的基準是否穩定，或不同物品之間的現價與期價是否有夠高的相關係數。

結語

這章可能寫得太長了。我是因為很不滿意傳統的受價分析（那所謂完善競爭）而大事發揮一番。我認為傳統的分析沒有多少經濟內容，把市價、租值、成本等重要概念搞得一團糟，因而對解釋現象或行為作不出什麼貢獻。我是只為解釋現象而從事經濟研究的。純真的受價現象不是隨處可見。期貨市場是最接近的，但本節指出，需要的條件多而複雜，也需要有多隻有形之手。另一方面，我們不需要真的見到受價才論受價市場。競爭無市無之，無日無之，無處無之，不同的問題與不同的現象我們要從不同的角度處理，有時假設受價是覓價，有時假設覓價是受價。可不是嗎？買、賣雙方皆受價的期貨市場，其幕後的眾多莊家不停地覓價。世事複雜，理論以簡單為上，希望同學們能在本章見到，簡單的理論可以是非常湛深的。

參考文獻

J. B. Say, *A Treatise on Political Economy*. Augustus M. Kelley, 1803.

A. A. Cournot, *Researches into the Mathematical Principles of the Theory of Wealth*. 1838.

A. Marshall, *Principles of Economics*. Macmillan, 1890.

I. Fisher, *The Theory of Interest*. Macmillan, 1930.

E. H. Chamberlin, *The Theory of Monopolistic Competition*. Harvard University Press, 1933.

J. Robinson, *The Economics of Imperfect Competition*. Macmillan, 1933.

M. Friedman, *Price Theory*. Aldine Pub. Co., 1962.

A. A. Alchian, "Cost," *International Encyclopedia of the Social Sciences*, 1963.

S. N. S. Cheung, *Will China Go Capitalist?* Institute of Economic Affairs, 1982.

S. N. S. Cheung, "The Contractual Nature of the Firm," *Journal of Law & Economics*, 1983.

S. N. S. Cheung, "Commodity Futures: On the Distinction between Commodity Exchange and Crude Oil Exchange," *Economic Explanation: Selected Papers of Steven N. S. Cheung*, 2005.

不管鄧麗君是怎麼樣的一個壟斷者，只要她的壟斷權利來自她個人的天賦，加上個人的勤奮，這權利是由她個人自己選擇爭取的結果，價值觀上我們難以反對。她沒有要求過任何人替她約束其他的競爭者。她的存在對社會只有利，沒有害，殺了她是社會的重要損失。

第三章：壟斷的詛咒與成因

壟斷（monopoly）一詞的直解是某產品在某市場只有一個生產或銷售者。市場可以大如整個地球，或小如街頭的小食檔。我幾歲大的孫女兒，每次到我家，出售她的愛，絕對是個壟斷者。天倫市場就是那麼奇特：無論她怎樣榨取，我還有很大的消費者盈餘。

第一節：壟斷的闡釋

壟斷的直解是字典的解法，經濟學應該怎樣闡釋呢？眾說紛紜，我接受的，壟斷是指一個生產或出售者面對的需求曲線是向右下傾斜的。此線向右下傾斜，把價提升會賣得少一點，調低會賣得多一點，所以這個壟斷者要覓價（price searching）。覓價的行為變化多，有趣，是我當年着迷的學問了。

同學們會問：以生產或銷售者面對的需求曲線向右下傾斜，所以覓價，來給壟斷下定義，但我們見到的市場一般有多個競爭者，每個都在覓價，包括我曾經提及的賣冒牌勞力士手錶的比比相鄰的討價還價的攤檔，難道這些攤檔也算是壟斷者嗎？又例如食肆或酒家林立，基本上每家都在覓價，難道每家都是壟斷者？應該是。有幾個原因。

其一是任何市場競爭一定存在，就是政府授予專利也會有替代品的競爭。其二是從細節或微小的變化看，任何產品或銷售者都有其獨特之處，與眾不同。其三是訊息或交易費用的存在，加上刻意隱瞞或瞞騙的行為，可以誤導顧客，使後者以相同為不同。其四是市場的大、小劃分變化多，這樣看某店是同一市場的一部分，那樣看該店是另一個市場了。還可以想出其他的，但正如我在上章最後提及：競爭無市無之，無日無之，無處無之，不同的問題與不同的現象我們要從不同的角度處理，有時假設受價是覓價，有時假設覓價是受價。

做學問我們有時要執着嚴謹，有時不要在術語上爭議。字典歸字典，真理歸真理，而真理說，何謂壟斷要看我們處理的是些什麼問題。以一個生產出售者面對的需求曲線向右下傾斜作為壟斷的界定可以接受，也應該接受，因為這看法直接帶到覓價這話題上，引來很多需要解釋的有趣現象或行為。另一方面，嚴格地說，天下間每個人都有其獨特之處，與眾不同。從獨特之處看，每人都是壟斷者，說壟斷是說了等於沒有說。但從生產出售面對的需求曲線看卻是說了一句有經濟內容的話。

第二節：亂來的價值觀詛咒

壟斷被社會責罵、詛咒，有悠久的歷史了，中外皆然，雖然感受上是外多於中。不容易肯定起自何因。價值觀的否定可能起自壟斷導致貧富分化，也有以大欺小的意識。邏輯上，這些社會不接受的現象不能與壟斷掛鈎。我認為客觀反對壟斷的看法主要是一處：產出競爭的激烈程度通常是與社會的收入增長速度正面聯繫着的。這觀察雖然有事實經驗的支持，但有不少麻煩。不是所有產出競爭都對社會有利。那有名的公海捕魚導致租值消散的例子是源於產權沒有清楚界定的競爭產出。另一方面，國民收入的大事改進，往往源於有很大壟斷性質的競爭產出。半個世紀以來，科技的突飛猛進大幅地增加了人民的收入，競爭無疑激烈，但每一項都是基於有壟斷性的發明。競爭發明專利是爭取壟斷，不維護這種壟斷我們今天不會有數碼科技。明顯地，競爭與壟斷不一定有衝突，而經濟學者歷來反對的主要是政府以牌照約束競爭人數，又或者是政府因為要維護國營的生存而阻止私營的參與。

其實經濟學者反對壟斷從來沒有解釋得清楚。發明或科研應否受到專利的保護他們說得吞吞吐吐，下一章我會詳加分析。我也曾經提及，國營偏於無效率，但可以有效率，而國營與國企是兩回事。這些年中國的經驗是國企可以判出去作私營，有大成的例子。掛羊頭可以賣狗肉，掛狗頭可以賣羊肉，經濟學者的困難是他們通常只看頭而不吃肉。

熱情勝理智的分析

純從經濟分析的角度看，這學問的傳統對壟斷有兩方面比較清楚的投訴，嚴格來說都過不了邏輯的關，或多或少反映着經濟學者對改進社會的熱情高於理智。首當其衝的投訴是壟斷者覓價後所訂之價高於產出的邊際成本。起自英國的傳統，獲得美國的支持，而今天的學子從本科一年級開始背，究竟老師有沒有想清楚只有天曉得。

分析是這樣的。面對壟斷者的市場需求曲線向右下傾斜，這曲線代表平均收入，邊際收入在這曲線之下。壟斷者為了爭取租值或財富極大化，他的產出均衡點是邊際成本等於邊際收入。但他訂的價等於平均收入，所以價是在邊際成本之上。另一方面，價也代表着消費者的邊際用值。於是，邊際用值高於邊際成本，增加產量會使社會得益，但壟斷者為了爭取私利極大化不會那樣做，其產量因而低於完善的競爭市場，後者的邊際成本等於平均收入等於邊際用值等於價。

死三角有沙石

經濟學者於是推出後來薩繆爾森稱為“死三角”(deadweight loss)的浪費。價(即邊際用值)高於邊際成本,增加產量對社會有利。這增產會使價或邊際用值下降,邊際成本上升,到價等於邊際成本時,這“死三角”會消失,也即是跟那完善的競爭市場相同。社會的最大利益是邊際用值等於邊際成本,但壟斷者的產出均衡點是邊際用值高於邊際成本,是以為禍也。

邏輯有沙石。作本科生時老師答不了我的問題。我問,有死三角存在,增加產量消費者會得益,壟斷者也會得益,增產可以大家得益,何樂不為哉?進了研究院,老師比較高明,說不增產是因為有交易費用。但當我問是什麼交易費用,老師通常忙顧左右而言他。還是阿爾欽高明,他報以一笑。正確的答案,是壟斷產出不一定有死三角,但這是本卷第六章——《成本定律與覓價行為》——的話題,好玩的。

剩餘容量之見

另一項經濟分析的壟斷投訴,源自哈佛張伯倫的《壟斷性的競爭理論》。這理論我曾經評為空洞。價格或邊際用值高於邊際成本的浪費之外,張伯倫指出另一項浪費。他說:壟斷者面對的需求曲線向右下傾斜,在競爭下平均成本的碗形曲線會貼在那傾斜的需求曲線上,貼點之價是均衡價,高於邊際成本,因為正在下面的邊際成本曲線與邊際收入曲線的相交點是壟斷者的利潤極大化的均衡。張伯倫於是指出,因為面對的需求曲線不是平線,有斜度,生產的平均成本不像完善競爭那樣在該線的碗底產出,而是在平均成本正在下降的一個斜點上。這樣,壟斷者的產出點不是最低的平均成本,增加產量平均成本會下降。增產可以減低平均成本，不增產是浪費。張伯倫於是說這浪費源自“剩餘容量”（excess capacity）的存在。平均成本還可以下降，但產量達不到最低的平均成本，還有平均成本下降的容量，是剩餘的浪費。

大名如哈佛，我認為張伯倫在概念上的掌握不到家。不管一個生產者面對的需求曲線是平線還是傾斜，他考慮了價格及邊際收入，有了策劃產出的量，無論是一次產出還是分期交貨，他選擇的生產方法及生產要素的調動安排一定是他算來平均成本最低的。局限下爭取利益極大化的假設不容許其他選擇。

產出均衡要從直接成本看

這裡的要點，是最低的平均成本只可以是指直接成本，即是不產出就不需要支付的。這平均成本曲線也是碗形。邊際成本曲線穿過碗底是定義性的，因為略為增產或略為減產的成本變動都要從這一點畫出去。如果增產或減產會導致生產的方法不同，直接平均成本曲線要再畫。

這裡的問題是直接成本之外，上頭成本是租值，壟斷租值也是租值。我解釋過，這些租值的變化不會影響邊際成本，而二者租值皆由市場決定。租值也是成本，加在直接平均成本的曲線之上可得另一條碗形的總平均成本曲線。向上加，加到哪裡呢？加到包括租值的平均成本曲線貼着向右下傾斜的需求曲線。這是為什麼我欣賞弗里德曼之見：一個壟斷者面對的向右下傾斜的需求曲線是他的平均成本曲線。弗老當年應該說得清楚一點：租值是成本，但不是產出的直接成本，而產出的均衡點是與租值成本無干的。

回頭說張伯倫的“剩餘容量”，其有關的平均成本曲線應該是指直接平均成本。但他說的貼着需求曲線的碗形平均成本曲線顯然是包括租值的，即是包括上頭成本的租值及壟斷租值。包括租值的碗形平均成本曲線沒有意思，因為租值的或大或小由市場決定，有意思的只是貼着向右下傾斜的需求曲線的那一點。要是張伯倫說的貼着需求曲線的平均成本曲線全是直接成本，沒有租值，一大籮問題會出現。

梁惠王勝孟子

同學們可以在這節體會到，對真實世界有基礎性的認識是學經濟的起碼要求。同學們找機會跑工廠後，會知道問生產成本是否最低的是個蠢問題。生意老闆日算夜算都在算怎樣節省成本，問他成本是否最低不是顯得很無知了？

更為重要的是學經濟，同學們不要問什麼好什麼不好。分析用上價值觀容易闖禍。同學們要學梁惠王問孟子，問利何在。經濟學傳統把壟斷分析弄得一團糟，主要因為學者們重於問好壞而不重於問利害。那所謂無效率的意思，是指有利而不圖。這是薩繆爾森說的死三角，也是張伯倫說的剩餘容量。問利，問為何有利而不圖，會直接地帶到有關的交易費用局限那邊去。作研究生時我這樣問，問出了佃農理論。

第三節：鄧麗君現象的延伸

嚴格來說，每個人在某方面都是個壟斷者。絕大多數的壟斷者是可憐人物：他們的壟斷之技換不到飯吃。我在《供應的行為》的舊版中寫道：

> 天生特別的供應，外人無從絕對地仿傚，是壟斷。然而，以歌聲而言，算得上是特別的何止鄧麗君？其他招徠有道、大名鼎鼎的歌星不在話下，張五常的歌聲又怎樣算了？上帝可以

作證，我的歌聲也很特別；可惜的是，當我一曲高歌，聽者願意給我錢要求我不唱！我也是個壟斷者，我的歌聲面對的市場需求曲線也是向右下傾斜的，但整條曲線是在左下的負值範圍內。

壟斷不一定可以賺錢。絕大部分的壟斷一文不值，所以沒有經濟學者為我的歌聲費心。天生下來，每個人各各不同，在某方面都有可以大壟其斷的產品。無奈市場無價，天才自古空餘恨。電影明星的相貌特別；你和我的相貌也特別，只是沒有觀眾出價。明星的演技特別；你和我的演技也特別，可惜也沒有觀眾出價。你和我於是成為無價之寶，使經濟學者漠視了。

鄧麗君是社會的一部分

這就帶到我認為是重要的歌星鄧麗君的例子。一九八四年初我有機會在香港看過她的一場演出，橫看直看都認為是一百分，是炎黃子孫中數世紀一見的演唱天才了。長得好看，唱得悅耳，舉手投足瀟灑利落，反應快，多種語言流水行雲，聽眾用什麼語言提問她就用什麼語言回應。北京當年不容許她到內地演唱是人類的損失。

說鄧麗君是個現象，可不單是說她的登台演技盡入化境，還要加上去的是這個歌星對金錢收入不重視。同級的歌星動不動要唱數十場，她只唱一場。那麼龐大的道具、備演成本，多唱一場的個人收入可獲港元數百萬，但她不唱。我也察覺到她絕少在電視或傳媒替產品賣廣告，或作什麼機構的代言人。對她來說，休閑的價值是演出的成本，而不演出是因為她認為這成本高於演出的收入，是定義性，我們應否尊重她的選擇呢？

鄧麗君無疑是個演唱的壟斷者——從她的獨特演技看絕對是。反對壟斷的人應否建議把她殺了？昔日的中國贊同把她殺

了恐怕不乏人。今天不會再有這種人，但可能還有不少人認為政府要強迫鄧麗君多演出，多唱——如果這個天才不早逝。

問題是從社會的角度看，鄧麗君是社會的一個成員，休閑給她的所值也是社會的收入，不尊重她的選擇社會會受到損失。反對壟斷我們要反對鄧麗君，然而，從社會的角度衡量，我們不容易想出有哪種約束鄧麗君的政策或方法可以使社會整體得益——除非我們不認為她是社會的一部分，或認為她自己的損失與社會無干。

競爭壟斷的真理

上述的鄧麗君現象重要，因為包含着一個社會利益的真理。這真理說，不管鄧麗君是怎麼樣的一個壟斷者，只要她的壟斷權利來自她個人的天賦，加上個人的勤奮，這權利是由她個人自己選擇爭取的結果，價值觀上我們難以反對。她沒有要求過任何人替她約束其他的競爭者。她的存在對社會只有利，沒有害，殺了她是社會的重要損失。她選擇不多演出在定義上是她的切身休閑利益高於多演出社會聽眾願意出之價。她自己是社會的一部分，強迫她多演出社會會受損，而如果因為她是壟斷者而多抽她一個壟斷稅，對社會有同樣的不良效果。至於傳統說的、鄧麗君演出給社會帶來的邊際用值高於她的邊際成本，導致薩繆爾森說的死三角，如果真的存在，是她自己的選擇，要維護社會整體的利益外人是不應該加以左右的。

讓我們回顧中國自上世紀八十年代初期起的經濟發展，其速度使舉世嘩然。少人注意的是在這史無前例的發展中，一個重要的轉變是從禁止鄧麗君演唱到今天把她捧到天上去。是的，很少人注意到，中國的驕人經濟增長是包括着一個鼓勵個人爭取壟斷的故事。八十年代中期我推斷，在內地，收入增長最快的那組人會是有天賦的藝術家。果然，跟着的二十年，不少藝術家的作品市值上升了不止百倍。這是鄧麗君現象的延伸：成功爭取市場喜愛的有獨特風格的藝術作品，是爭取到市場有價的壟斷權益帶來的壟斷租值。

經濟學傳統反對壟斷的分析是淺見。這分析忽略了沒有政府或利益團體協助的個人爭取壟斷帶來的私利，是社會進步的一個主要根源。

學術思想收費困難

像我這種搞學術思想為生計的人又何嘗不是如此呢？我們的不幸，是思想是一種共用品，一個有壟斷性的絕妙思想不容易像鄧麗君那樣，演出時出售門票杜絕不付票價的人，或出售唱碟及影碟，也沒有像畫家那樣有私用品性質的畫作在市場出售。學術版權的維護所獲甚微，而可以賣點錢的課本通常不是思想創作。這些年流行的以學報文章數量為準則來決定大學教師的升職，更是悲劇，因為一般是鼓勵產出廢物，不是這裡說的有壟斷性質的重要思想。

發明專利與商業秘密是維護有壟斷性質的思想的法門，可以帶來巨利。不是淺學問，深得很，我會在下一章以整章處理。在大學裡，自然科學的某些思想可以申請發明專利。做生意的名牌寶號或註冊商標是為維護產品質量的壟斷而設，沒有期限，可以很值錢，對社會也只有利，沒有害，因為除了註冊的名稱先註先得，任何人都可以有自己的商標。

讓我再說一次。沒有政府或利益團體維護的壟斷，或在自由競爭下獲得的壟斷權利，或像鄧麗君那樣，才華由上蒼賜予，加上勤修苦練而獲得的壟斷，對社會只有利，沒有害。這是不管壟斷產品的售價是多高，又或者像鄧麗君那樣，重視休閑而懶得多唱。

不要相信經濟學者的胡說八道。

第四節：阻止競爭的壟斷

阻止的意思是約束，但這裡我選用“阻止”而不用“約束”，因為競爭的行為一定要受到約束，否則競爭帶來的租值消散會滅絕人類。權利界定是約束，成本、市價、天賦、財富、法律、風俗等，都是約束競爭的局限。本節要分析的，是政府或利益團體“阻止”競爭，因而把壟斷權利炮製出來。阻止當然是約束，為恐引起混淆，我用“阻止”來描述由政府或團體炮製出來的壟斷。

受價與覓價的經濟內容

爭取壟斷希望增加收入是社會每個成員都會做的事。我在上節指出，這是社會進步的一個主要根源。在街頭賣花生的小販希望自己出售的好吃一點，與眾不同，是爭取壟斷。要成為另一個鄧麗君當然不易，但我指出，一個人憑自己的天賦與努力而爭取到有壟斷性的產品，沒有要求政府或團體的協助，純是通過市場競爭而獲得的壟斷，對社會只有利，沒有害。鄧麗君如是，設廠產出也如是。至於傳統歷來詛咒的因為壟斷產出不足，導致顧客的邊際用值高於產出的邊際成本而出現的死三角，如果真的存在，對社會也一定是利大於害：有這壟斷產品附帶着死三角總要比沒有這產品有利，強迫多產出只能如強迫鄧麗君多唱耳。

這裡有一個重要提點。西方經濟學傳統高舉的完善競爭市場，那銷售或生產者面對的需求曲線是平的，因而受價，沒有死三角。然而，邏輯與事實皆說，這樣的市場只能限於期貨市場那類產品：米是米，麥是麥，金是金，銀是銀。是的，經濟學者高舉的完善競爭市場的產品不可能有創意，不可能標奇立異，社會因而不可能有進步。

換言之，一個歷來只有完善競爭的經濟社會，會停頓在中國四千多年前炎帝神農氏嘗百草的水平。我的價值觀可以接受，因為陶淵明筆下的桃花源也略同。離開了桃花源，人類的進步或知識的增長要基於創新，即是說要基於壟斷的爭取及嘗試。那所謂覓價，講深一層是說找尋新意。

舊報告將再推出

通過政府或團體阻止競爭而出現的壟斷是另一回事。但有一個問題：本來是黑白分明的看法，因為發明專利的存在而變得有點模糊了。發明專利（patent rights）是通過政府法例來約束或阻止競爭，擁有這專利權的或大或小是個壟斷者。發明是競爭的果實，但專利是政府以阻止的方法來維護勝出的人。從社會的整體利益衡量，研究所得的發明應否有專利的保護是經濟學的一個大難題，行內到今天還沒有一致同意的答案。我自己是有答案的——大概上有，細節上沒有。

上世紀七十年代初期，我動用了美國的一個基金不少錢，花了四年多時間，調查發明專利與商業秘密，以及這二者的租用合約（license）。所獲艱深。當時（一九七七年）寫了一個長報告給資助的基金作為一個交代。二十多年後找到該文全稿，二〇〇五年刊於自己的英語論文結集中，行內的朋友讀到一致認為重要。該報告其中較為不重要的兩部分曾經抽出為獨立二文發表，但最重要的主要部分因為太難，當時打算過些日子才處理，但終於沒有動工。發表了的關於商業秘密的那部分受到法律學界注意。我會把當年的長報告的內容全盤推出。這是本卷第四章的話題。

發明是知識資產，以專利保護是產權保護，應不應該有此保護奇怪地沒有一致的看法，而從社會的利益看應保護多久是一個永遠沒有答案的問題。商業秘密呢？原則上也是資產，可以有產權的保護。問題是外人不知是些什麼，要怎樣保護呢？問題有趣，但深不可測，也在第四章才討論。

無功受祿與偷龍轉鳳

轉到那些主要靠政府或團體阻止競爭而存在的壟斷，經濟學的所有分析都說對社會的整體只有害，沒有利。對個人或個別機構當然有利，但對社會整體沒有。理由不少，但我認為最基本的只是一點：憑政府或團體阻止競爭而帶來的壟斷利益，是中國傳統說的無功受祿！你的產出貢獻不足以在市場生存，但因為政府為你阻止競爭而獲利，是無功受祿。或者你的產出貢獻足以生存，但政府授予壟斷權使你的收入增加，也是無功受祿。好些時，因為政府或團體的左右而出現的壟斷權利，獲益者主要是政府或團體，也算是無功受祿了。

還有另一個有關的話題。政府往往授予自己壟斷權，增加政府的收入，因而可以減少抽市民的稅。政府為服務社會需要有收入，因而算不上是無功受祿。這是偷龍轉鳳，誤導市民。偷龍轉鳳香港政府是專家。計程車牌照的壟斷權在政府之手，土地使用的壟斷權在政府之手，貨運碼頭的海域壟斷權在政府之手，汽油供應抽高稅，也可看為政府壟斷，還有不少其他的。這些壟斷帶來的收入可觀，容許香港政府以低稅率知名於世，但我曾經算過，把這些政府的壟斷收入化為稅看，香港中層人士的稅率比美國的高。這是偷龍轉鳳。

長三角與珠三角的經驗

作為一個經濟研究的題材，由政府阻止競爭、授予壟斷給社會帶來的害處，最精彩莫如中國改革的經驗了。這是人類歷史可歌可泣的一頁——先泣而後歌——我在《中國的經濟制度》分析過。只要中國的發展能繼續下去，將來的學者不會漠視該書。復旦的張軍看出了玄機，知道我的靈感從哪裡來。

那是長江三角洲與珠江三角洲的相對發展的經驗。大約一九八一年起珠三角首先發難，三年後該區的幾個鄉鎮的年增長率達百分之五十。珠三角是龐大國企不多的地方，香港的商人跑去投資私營，申請牌照只需幾天，雖然損手者眾，但在壓力下國家職工制敗退，合同工制抬頭。長三角呢？龐大的國企林立，申請私營或民營牌照要過關無數，近於不可能，而職工制無從瓦解。長三角的林立國企是靠政府阻止競爭，靠政府維護壟斷而存在的，而這局限在珠三角是弱很多了。

長三角的崛起是鄧小平先生一九九二年春天南下之後的事，一九九三開始有看頭，而一九九四年初引進全國劃一的增值稅後，中國的地區競爭制度形成了。奇蹟的出現，是八年之後，在重要的經濟數字上，長三角超越了起步早十多年而還是發展得快的珠三角。撤銷大部分的國企壟斷是主要原因，而如果這些壟斷不撤銷——即是不大事放寬民企的經營牌照——中國的神奇地區競爭制度是無從發揮的。後發而勝出，因為在中國獨有的地區競爭制度下，長三角的土地使用比珠三角有高很多的彈性。我在《中國的經濟制度》中有詳述。

牌照限量阻止競爭

政府發牌照有好些原因，而發牌不一定有限量。只為鑑定誰是負責人，或作為減低訊息費用的資歷陳述，是不需要有限量的。鑑定誰是負責人重要，但能否減低持牌者的資歷的訊息費用有問號。牌照傳達的訊息不一定可靠，可以誤導。我認為經濟學衡量斤兩，博士名銜（也屬牌照）比不上兩頁紙的好文章。弗里德曼當年差不多反對所有職業牌照。阿爾欽和我同意，持牌執業的醫生及律師，他們的能力及知識的差距很大。

訊息是一回事，牌照限量是另一回事。好些時，限量是通過提升資歷或條件的要求，以保護顧客利益為藉口，掩蓋着以牌照的限量來增加持牌壟斷的收益。美國在藥房賣藥的藥劑師，多年來資歷的要求不斷提升，到今天需要的學歷要有跟博士相若的水平。每小時工資約七十美元，也是規定的。

計程車（內地稱出租車）的牌照，以車算，好些城市有限量，而一個牌照的轉讓市價可能高達港元數百萬。這是阻止競爭帶來的壟斷效果。從社會整體的利益看，支持這牌照限量的理由不少，邏輯一律錯得離奇。香港的例子，是發計程車牌照的政府有可觀的收益。

在西方，狩獵野生動物有牌照及獵物的限量，但沒有協助壟斷的意識。不限量獵者可能把野鹿殺清光。多年前在美國讀到一份報告，說限季節及限獵量的牌照收費不高，但能有所獲的只是一小撮懂得狩獵的人。不限獵量，這一小撮人可以把野鹿殺清光。我的一位朋友專於此道，說絕對可以。

醫生應否以牌照限量大有爭議。沒有明確的限量，但有經濟學者認為有欠效率的條件的苛求。一九五八年，說得上是經濟學天才的凱塞爾（R. Kessel，是我的好友，一九七五年早逝）發表精彩的《醫療的價格分歧》，分析當時在美國加州行醫執照難求，因而導致壟斷及價格分歧的出現。他的解釋，是醫生執業要有醫院提供病房與醫療設備的協助，而這些設備的資金主要來自見習醫生的低薪貢獻，所以要到加州行醫要先在那裡見習兩年。今天，這指明地區見習的規限在美國不再存在，但類似的要求在香港還有——外來的頂級醫師是不能在香港掛牌的。奇怪我當年沒有問凱塞爾一個資歷足夠的外地醫生，為什麼不可以付一個使用設備之價來購買加州的行醫權。不管怎樣說，凱塞爾一九五八年在《法律經濟學報》發表的是難得一見的好文章，經濟學要那樣處理才對，同學們不要錯過。

結語

西方有一句戲言，說一條狗吠錯了樹——barking up the wrong tree。不知典出何方，但可以想像，一個小偷躲到樹上去，一條狗向樹上吠，但吠錯了樹！

經濟學者有吠錯樹的習慣。當年我讀科斯一九六〇年發表的後人稱為科斯定律的鴻文，該文批評傳統的社會成本又稱外部性的分析，不由得拍案而起，說庇古吠錯了樹。後來輪到自己寫文章，指出傳統吠錯樹的例子，到今天屈指難算了。本章以《壟斷的詛咒與成因》為題，指出的吠錯樹是嚴重的，而老實說，熱情歸熱情，我認為那是一條相當蠢的狗。

從社會整體的利益看，經濟學者應該詛咒的，要吠的，不是壟斷的本身，而是政府或團體阻止競爭。壟斷的成因數之不盡，但除了政府或團體阻止競爭帶來的那一類，其他所有因由歸納起來只一個：人類要不斷創新才可以活得好一點。

第五節：自然壟斷之謎

自然壟斷（natural monopoly）是有爭議的話題，曾經吵得熱鬧，主要是關於公用事業（public utilities，例如水、電、煤氣等）的供應，尤其是這些事業的成本分析。要點是這樣的：如果一種物品的產量增加其平均成本不斷下降，在同一市場內不會有多過一個生產供應者，這是因為只一個生產者的產量愈大，其平均成本愈低，其他生產者參進會遭淘汰。只一個可以生存，是壟斷，但因為產品沒有獨特之處，只是平均成本不斷地下降會淘汰或杜絕其他競爭者，所以稱為自然壟斷。

邊際成本的爭議

自然壟斷帶來一個大麻煩。產量增加平均成本不斷下降，邊際成本永遠是在平均成本之下。資源的有效率使用或要滿足帕累托條件，產出點是價格等於邊際成本，但要滿足這條件，自然壟斷的價格一定是在平均成本之下，因而要虧蝕。如果政府強迫價格等於邊際成本，這個自然壟斷者要關門，但如果不強迫，其價會高於邊際成本，因而無效率（或有浪費）。於是，經濟學者的建議有二。其一是政府補貼自然壟斷者；其二是索性由政府經營公用事業或有自然壟斷性的行業。

針對上述的分析，科斯一九四六年發表《邊際成本的爭議》(The Marginal Cost Controversy)。該文的要點是如果邊際成本低於平均成本，需要政府補貼及管制，惹來的管治費用很大，得不償失，所以應該以平均成本訂價。一九六八年德姆塞茨發表《何必管制公用事業？》(Why Regulate Utilities?)，提出了自然壟斷其實不是壟斷的觀點。他以鐵造的汽車牌為例，其製造是產量愈大平均成本愈低。他跟着指出，如果汽車鐵牌需要招標競投製造，每牌之價會等於平均成本，怎會有壟斷這回事呢？

科斯與德姆塞茨這兩篇文章是批評自然壟斷的傳統分析最有名的，但我將指出，他們都吠錯了樹。

小食店的例子

讓我從一家小食店說起吧。該食店在街坊鄰里，市場小，只此一家，而這家只產出一種食品。比較優勢成本不論，在考慮進入該市場投產時，小店老闆會計算一下入局的投資成本：裝修、購置器具等。假設這入局投資要五萬元，入局之後這資金的利息需要放棄——這是入局成本從川流的角度看。入局之後，投資下了注，除非老闆把生意出售，這入局成本通常是覆水難收。開業後高於直接成本的收入是由市場決定的租值，上頭成本是也。

也是在未入局之前，老闆會考慮或猜測入局之後的生意情況，可收之價是多高。有了這些資料的大概，他打的算盤要選擇小店子的規模有多大，檔次有多高，每天每期的產量及進賬有多少。憑這些資料他選擇用哪種生產方法及器具來經營。他選用的是產出的直接平均成本曲線最低的方法，爭取的是可收盡收的最高租值，希望這租值（這裡的簡單例子也是上頭成本）能蓋過入局成本的利息。

直接成本是不產出就不需要支付——上述的小食店是食料、水電、工資等。這裡假設沒有灰色地帶的麻煩（這麻煩我會在第六章再討論），直接平均成本的曲線很容易是碗形，而直接邊際成本從下而上，穿過平均成本的碗底。包括上頭成本的總平均成本是把租值加上去，加到出售價而止。換言之，不管是受價還是覓價，出售之價是包括租值的平均成本。要注意的是包括租值或上頭成本的平均成本曲線的本身是沒有邊際成本曲線的，我在第二章第七節解釋過了。

一個街坊市場只有上述的一家小食店，可以看為壟斷，潛在的競爭者無數，但跟我曾經提及的小孩子賣可口可樂不同，競爭者要參進也要付那幾萬元的入局投資。這家小食店因而受到市場的保護，他的租值收入要高於入局投資的利息，潛在的競爭者才會考慮參進。

說壟斷是對，因為街坊市場只此一家。說覓價也對，因為租值的存在此家可以提升價格而賣得少一點，或調低價格而賣得多一點。是個自然壟斷者嗎？從直接成本看是，因為這家的直接成本比還未入局的為低——還未入局所有成本皆直接。從產量增加平均成本不斷下降的準則看不是，因為這小食店的直接平均成本曲線是碗形的。

海底隧道與小食店的成本曲線相同

讓我轉到一個行內認為是明顯的自然壟斷的例子：建造海底隧道，車輛使用收費。投資數十億建該隧道，每輛車使用通過收費只二十元。以總投資及經營費用除以車輛使用的數量，每輛車的平均成本當然是車量愈大愈低，而這平均成本下跌近於永無止境。

然而，以這隧道作為自然壟斷的經典例子，其實與上述的街坊小食店沒有兩樣：隧道的直接平均成本曲線是碗形的！車量上升，管理的員工增加，而到了近於堵塞之境，互相干擾，車輛駛慢了，等於我說過的餐館的桌子競爭使用，這輛車的時間增加是那輛車的直接成本。服務每輛車的直接平均成本會上升，而如果車輛堵塞不動，直接平均成本會飆升——這是不論庇古的公路使用的社會成本，只論隧道老闆服務每輛車的直接平均成本。

經濟學傳統以這隧道作為自然壟斷的經典例子，是吠錯了樹。這傳統把入局的數十億投資作為直接成本看。未入局之前當然是，街坊小食店的五萬元也是。但自然壟斷，我把邏輯讓你讓到盡，只能從入局後的直接成本看。以包括上頭成本或包括入局投資的總成本除以車輛數量而求得的平均成本曲線來論自然壟斷是吠錯樹。更為嚴重的，是這傳統不斷地吠的那條低於平均成本的邊際成本曲線，基於上述的包括上頭成本的平均成本變動，根本畫不出來——根本沒有樹！

辦公室裡的經濟學

回頭說德姆塞茨的汽車鐵牌例子，有兩個問題，一小一大。小問題是他以每塊鐵牌作為產量單位，平均成本不斷下降，很可能是看錯了。我在《收入與成本》第七章分析出版行業時，指出從印刷商的角度看，以每冊書作為單位算量不對：印刷商是以書號為單位算量的。以一個書號的冊數算量，直接平均成本曲線會不斷地下降，但以書號為量這曲線會是碗形的。

我沒有調查過德姆塞茨說的製造汽車鐵牌這個行業，但很懷疑這製造商會以牌數算量作為他的直接成本考慮。很可能他以開機的次數算。另一方面，我知道好些與製造汽車鐵牌類同的行業，量大通常由好幾家工廠處理，顯示着直接平均成本不是不斷地下降的。製造汽車鐵牌究竟由多少家從事，或是否由一家發放出去給幾家，又或者是政府的有關部門指定一家工廠造，不准發放——德姆塞茨沒有深入調查過。這是辦公室裡的經濟學了。

地役權是公用事業的因由

大問題是以製造汽車鐵牌的例子來比喻水、電、煤氣等公用事業。這是明顯地吠錯了樹。我認為水、電、煤氣等事業一般受到政府的管制或插手，可不是起於經濟學者歷來相信的平均成本不斷下降，而是因為有地役權（easement）的困擾，政府非插手不可。既然插手，無可避免地要管制一下。

我說的地役權，起於水、電、煤氣等的供應與安置，要通過很多不同用途的土地及有不同業主的樓宇，其中只三幾處不讓通過就難以成事。政府的存在不是毫無經濟效率理由的。公用事業需要使用地役權，沒有政府處理很麻煩，而就是所有人同意通過，之後某些人反口也頭痛。生產供應可由私營操作，也往往是，但地役權沒有政府處理難以成事。至於政府應否管制公用事業的收費是另一個話題，而我在第五章會指出，牽涉到地役權是美國的反托拉斯案件中最頭痛的經濟分析。

壟斷不要從成本看

在自然壟斷與邊際成本這兩個有關的話題上，我認為科斯的失誤是他漠視了上頭成本。雖然他發表過關於上頭成本的文章，其分析跟我在《收入與成本》提出的很不一樣。大家都從馬歇爾得到靈感，但我不同意馬歇爾，因為他沒有堅持成本永遠要向前看。德姆塞茨以批評政府知名天下，但他漠視地役權的公用事業分析是吠錯了樹。

壟斷，不管自然不自然，是不應該從成本的角度看的。有兩個原因。其一是每個人都有他或她的比較成本優勢，說每個人因而是個壟斷者說了等於沒有說。其二是上蒼有知，如果天賦成本是零，每個美麗的女人都可以是鄧麗君。說鄧麗君是個壟斷者因為她的天賦成本夠低也是說了等於沒有說。我們還是以鄧麗君的絕代風華來界定她的壟斷本領吧。

參考文獻

E. H. Chamberlin, *The Theory of Monopolistic Competition*. Harvard

University Press, 1933.

J. Robinson, *The Economics of Imperfect Competition*. Macmillan, 1933.

R. H. Coase, "The Marginal Cost Controversy," *Economica*, 1946.

R. A. Kessel, "Price Discrimination in Medicine," *Journal of Law & Economics*, 1958.

H. Demsetz, "Why Regulate Ulitities?" *Journal of Law & Economics*, 1968.

S. N. S. Cheung, "Property Rights in Trade Secrets," *Economic Inquiry*, 1982.

S. N. S. Cheung, "Property Rights and Invention," *Economic Explanation: Selected Papers of Steven N. S. Cheung*, 2005.

張五常，〈鄧家天下〉，《賣桔者言》，香港信報有限公司，1984。

因為發明專利只提供一個獎，也因為一項發明是共用品，可以讓無數人一起共用，再因為研發的成本不低，所以只要研發的競爭者之間的比較成本優勢有足夠的訊息，發明專利的界定是含意着研發權利的界定，在競爭下租值消散不會出現。

第四章：知識資產需要保護嗎？

思想是人類進步的主要資源，雖然到處戰亂是說人類其實是愚蠢的。沒有思想，我們今天還會住在山洞中。有點奇怪，以發明專利（patent rights）的法律來保護知識資產姍姍來遲，首出於意大利。那是一四七一年。其後的發展複雜無比。我曾經花了幾年研究，勞師動眾，所獲甚微，雖然在經濟學行內算是知得比較多的。是深不可測的學問，儘量簡化同學們還要讀得很小心才能知大概。

發明專利的法律起自意大利的文藝復興。那是中國的明代，而中國在唐、宋期間的富庶與文化發展的光芒是沒有法律保護知識產權的。中國有發明專利法律是很近代的事，不到一百年，而有點看頭可能不到二十年吧。不要以為西方的發明專利法律一定可教。我不知道。我知道的是西方的知識保護法律有很大的麻煩。美國的國家研究基金曾經資助我研究，希望我能提出一些改進的建議。我寫了一份長報告，學者朋友認為重要，但對該基金的要求是交白卷。把我知道的困難說說吧。

第一節：知識保護的變化

知識增加會帶來收入增加，所以知識的權利是一種產權，原則上要有界定及保護才可以發展得好。但要怎樣保護才對呢？在發明專利法律引進之前，人類以知識來增加收入早有可觀。純為自己所需的發明，讓他人免費採用的例子無數，是沒有法律保護的。商業秘密，只要能守秘，可以是非常有效的保護。守秘當然不易，但傳統上中國的廚藝、藝術、醫療等，皆以守秘的法門發展起來。商業秘密可以很值錢。美國的可口可樂是有名的例子；中國雲南白藥股票之價這些年不是上升得很有看頭嗎？

名牌寶號保護知識

版權或商標是保護知識資產的另一些法門，有法律，但常有官司。中國對名牌寶號的維護有數千年歷史，不一定有法律：印章的發明在商代或更早就出現了。當時沒有什麼數碼科技，假冒印章不容易。就是今天，鑑定古書畫的專家們通常能把數百年來的收藏家的眾多印章背出來。不是說笑，一幅不怎麼樣的清代書法，因為有一個沒有疑問的乾隆皇帝的印章，市值增加了人民幣數千萬。好收藏的朋友知道，賣古書畫有時其實是賣印章，也即是賣名牌寶號的保障。

也沒有疑問，因為人的知識得來不易，知識投資的成本往往是知識產權的保障，有時相當可觀。例如中國藝術品或古文物的收藏，這些年市價上升得急，好此道或素有研究的君子們因為鑑證的知識來得不易而大有斬獲。不單是他們持有的收藏品升了值，還要加上去的是他們的知識變得很值錢。今天內地的拍賣行業有求物品容易求專家困難的說法。一般而言，收藏市場的假貨遠比真貨多，而市場之價是先論真假然後講優劣。懂得鑑別怎會不值錢呢？同學們可以羨慕，但不要眼紅，因為鑑證收藏品的知識得來不易，動不動需要十多年的研究投資。沒有大好的收藏品市場，投資於讀書識字的學問的回報率比較高。

沉悶與有趣之別

經濟學者一般怎樣看呢？馬歇爾可能是第一人說知識投資最重要；跟着費雪說同樣的話。到了上世紀六十年代，知識投資這個話題在經濟學行內被認為是最重要的。我的投訴，是這項大搞特搞了約二十年的學問，雖然參與的能人無數，但過於着重讀書求學或知識增加帶來收入回報的調查與統計分析，發表的文章讀來味同嚼蠟。不是說不重要——知識投資當然重要——但沉悶，沒有令人拍案而起的驚奇。我認為知識投資搞出趣味要向訊息費用那方向走，但研究訊息費用的朋友可沒有強調減少訊息費用的投資是知識投資的另一個看法。他們老是關注着訊息費用給社會帶來的浪費或禍害，過於重視改進社會而漠視了解釋現象是科學的真諦。

一士諤諤，一九七五年我開始在香港的玉器市場研究訊息費用。是自己擅長的街頭巷尾的實地調查，以瑣碎的真實現象為出發點，管趣味，管解釋，不管的是好或不好，更不問政府應否管制。後來我轉向多種收藏品的調查研究。收藏品不僅一律有很高的訊息費用，而且樣樣不同，開闊了自己看訊息費用的眼界。這些費用導致的現象無奇不有，過癮好玩。做學問是應該為自己的興趣與好奇心而做的吧。我會在第八章以一整章處理訊息費用，但只能簡略地處理。詳盡的分析要用好幾本書。

三個難關要過

本章分析的主要是發明專利與商業秘密，尤其是前者。說過了，同學們要準備進入一個天旋地轉之境。從經濟學的角度看，以法律保護知識資產有三個難關要過。其一是知識屬思想，而思想是抽象之物，法律怎可以保護看不到、摸不着的東西呢？其二是思想或知識屬共用品（public goods）。我在《科學說需求》第八章解釋得清楚，經濟學傳統對共用品的分析差不多從頭錯到尾。其三是知識產權的保護帶來的專利必定有壟斷性質，而經濟學傳統歷來是詛咒壟斷的。科研帶來的利益應該受到法律保護嗎？法律應該維護壟斷嗎？這些是價值觀的問題。客觀地問，發明專利的保護——這種壟斷的保護——給社會帶來的利益是否高於壟斷的無效率或浪費的害處呢？

第二節：發明專利的傳統觀

可能因為"思想"有點虛無飄渺，不易觸摸，經濟學者對知識資產應否受到保護這個話題比其他資產的保護更有興趣。紛爭歷久不息，要把所有的不同觀點寫下來會是洋洋巨著，不值得的。今天塵埃稍定，回顧一下，大概的觀點分歧倒可說說。

有四個不同的看法——我自己的是第五個。其一起自邊沁（J. Bentham, 1795）、薩伊（J. B. Say, 1803）、密爾（J. S. Mill, 1848）與克拉克（J. B. Clark, 1907）。這四君子認為以發明專利法律來保護知識資產是必需的。其二來自陶西格（W. Taussig, 1915）與庇古（A. C. Pigou, 1920）。這兩位認為發明專利的保護是多餘的。其三是普朗特（A. Plant, 1934）與巴澤爾（Y. Barzel, 1968）。這兩位認為沒有發明專利比有的好。其四是阿羅（K. Arrow, 1962）。基於霍特林（H. Hotelling, 1938）與薩繆爾森（P. A. Samuelson, 1954）的理論，阿羅認為發明專利雖然重要，但比不上政府直接投資鼓勵發明研究。阿羅與巴澤爾還健在，是今天的人，我把他們的"專利"思想留在第三與第五節討論。這裡要指出的，是我對發明專利的研究止於上世紀七十年代中期。那是四十年前。

我知道後來有不少其他經濟學者問津這題材，但沒有跟進。當年走自己的路，有幾位助手，考查的法律文件及發明的租用合約無數，而此路也，走的沒有其他人。

無中生有之見

先談上述的第一組吧。邊沁説知識沒有保護不會有發明。他認為發明專利制度的成本是零。薩伊支持這看法，説發明專利不會影響社會的其他經濟事項。密爾説發明專利有成本，但甚微。到克拉克，"無中生有"的觀點就説得清楚了。他説："如果一件物品因為有發明專利的保護而出現——沒有這保護不會出現——發明者的專利不會損害任何人，但他自己得益。"

這裡有些嚴重的問題。就算保護發明的成本真的是零，我們要保護哪些發明才對呢？從一端看，太陽之下沒新事——所有發明都是舊知識再組合。從另一端看，同樣知識的不同組合或不同用途都是新思想。在實踐上，大自然規律的發現是不能註冊專利的——邊沁可能不同意。另一方面，在美國，一件沒有專利的產品的不同用途可能獲得專利，例如某化學藥物用作殺某種野草曾經獲得發明專利的保護。

就算一項發明是沒有疑問地可以獲得專利，其保護範圍應該多廣呢？應該保護多久呢？什麼才算是發明呢？眾人皆説輪子是人類最偉大的發明，但輪子是一個小孩子也可以想出來的玩意。要是輪子受到發明專利的永久保護，人類的進步會有一個大難關要過。發明的界定是非常複雜的問題，邊沁等四君子不應該沒有想清楚就武斷。至於發明專利的年期規限，昔日的西方一般是十七年。為何十七年只有天曉得，而不同種類的發明應否有不同年期的保護，三十多年前資助研究的基金要求分析，但我和幾位助手參考了無數文件也交白卷。

自發沒有成本之見

轉談陶西格與庇古的看法，他們認為發明專利毫無用處，因為發明是某些人的天生自發本質。陶西格說：

> 有一件事是明確的：從事發明的那種人會順從他們天生的無可抗拒的衝動。他們自小就開始設計與實驗，而只要有生命活力他們會繼續這樣做。對這些人來說，大增財富或終身貧困皆不會影響他們的發明意圖。

庇古同意陶西格的看法，但他把發明的收入帶到他專長的社會成本與私人成本有分離的話題上去。他認為雖然發明主要來自人類自發的本能，發明專利的保護不會明顯地增加發明的意圖，但專利的保護會減少私人成本與社會成本的分離，也會導致發明被用到較有價值的用途上去。

雖是大師，庇古的推理邏輯歷來不可靠。如果把他說的闡釋為發明專利鼓勵使用，那麼發明既然自發地出現了，任何使用費的收取都會壓制使用。如果把他說的闡釋為發明專利會鼓勵價值較高的使用，那麼他是忘記了發明是共用品，任何使用費的收取會壓制有價值的使用。沒有專利，不收費，多人可以共用，使用者當然包括產品價值較高的了。

嚴格來說，自發性的發明是指沒有成本的發明，其分析因而不在經濟學的選擇理論的範圍內。從科學方法的角度衡量，我們不要管發明究竟是不是自發。作分析我們大可武斷地否決這種發明，把成本加進去然後推出可以驗證的假說。

發明真的是自發的嗎？一個經濟學者會無端端地想出相對論嗎？愛因斯坦可以想出科斯定律嗎？機會不是零，但一個學者走自己學問的路，永遠希望一腳踏中些什麼。說發明可以是意外的收穫我同意，但為爭取這意外出現的機會投資成本一般高昂。陶西格與庇古不是很久以前的人。他們寫作時期美國的偉大發明家愛迪生如日方中，他們怎會不知道愛氏凡事講錢，僱用員工刻薄，任何懷疑外人盜用愛氏必訴之於法，以致有後人估計愛氏有好些官司付出的費用高於有關的發明的收入。陶西格與庇古也應該知道，僱用發明研究專才的市場合約在發明專利法律存在之前早就出現了。

科斯的老師激烈反對

跟着而來的在發明專利上大花筆墨的普朗特是科斯的老師。普氏是我知道的經濟學者中反對發明專利最激烈的人。他的反對有幾方面，讓我分點說吧。

首先，普朗特不同意薩伊與克拉克說的發明主要是自發的。他認為自發性的發明存在，但在比例上很小。他認為發明有成本，所以市場有價對鼓勵發明重要。在這個我認為是正確的觀點上，普氏的結論——沒有發明專利的保護比有這保護對經濟有利——不容易明白。

普氏的出發點是發明專利的產權跟其他資源的產權不同。他寫道：

> 發明專利與版權的保護，在性質上與其他資產的保護是不同的。前者不是資源缺乏帶來的效果，而是由成文法律刻意地創造出來的缺乏。其他資源會因為有產權的保護而轉向較有價值的用途，但發明專利與版權只是創造了缺乏，增加了產品的收入，但這些缺乏沒有保護是不會出現的。

這觀點當然錯。一塊荒山野嶺之地不值錢，有人花巨資開採，找到了金礦，是創造了缺乏嗎？一塊荒地無人問津，有人投資改為農地，政府因而授予地權是創造了缺乏嗎？缺乏的可不是還沒有被發現的金礦，或是那些無人問津的荒地，而是那些找尋金礦或開墾荒地需要的投資。

我在本章第一節提到，讀書識字的那種知識投資，其成本是對那些有了知識的人的保護。好比一個學子花了金錢及時間學好英文，他的收入增加，其他學子要競爭也要花類同的成本，所以成本是知識的保護。這裡的問題是某些知識投資可能帶來一些有市場價值的新產品，公開了，外人可以一見就免費地抄襲，害得原先的知識投資者血本無歸，或起碼大幅地減少了該新產品的收入。這新產品應該受到發明專利的保護嗎？

發明專利是歧視性質

普朗特可沒有錯得那麼淺。他認為好些可以註冊專利的發明是沒有專利的保護也會被發明的。他同意有些發明研究成本高，也要花長時日，但認為這些屬少數，所以一個有一般性保護的發明專利制度是說不通的。這裡普氏的困難，是天下從來沒有一個一般性的發明專利制度！

無可置疑，人類的好些發明是沒有專利保護的。普朗特認為這些發明屬大多數，而不同的發明往往有很不相同的投資回報率。有些有專利保護的發明，其回報率高得離奇，但投資成本卻微不足道。問題是，在市場競爭下，考慮到風險或訊息費用，不同的研究投資的預期回報率應該大致相若。好比在賭場下賭注，可以發達也可以輸身家，但不同的賭注在市場競爭下其預期的回報率應該大致相等。投資永遠是賭博，研究發明的風險大，一項幸運的高回報命中可能要算進無數的失敗嘗試甚至無數失敗者加起來的高成本。有人發達，有人破產，但在市場競爭下研究發明的回報率會與其他投資大致相同——研究的風險較大只會增加一點風險回報。

發明專利的保護不可能是一般性的。牛頓的三大定律不會受到專利的保護。普朗特用上“可以註冊專利的發明”（patentable inventions）這一詞，是說發明專利有歧視性。大致上這是今天的發明專利制度，只是這歧視的準則常有爭議，也屢有變動。如果交易費用是零，我們可以設計一套準則而使普氏之見全盤錯了。批評或衡量一個發明專利制度但沒有提出保護發明的歧視準則，基本上是沒有內容的空泛言論。

只有一個獎金是難題

普朗特提出的最後一個反對發明專利的重點，是這專利帶來壟斷。不單是傳統詛咒壟斷的看法。他指出多個研究者為了爭取某專利而投資，但勝出的最終只有一個，其他多個失敗者的投資是全部浪費了。這個無數競爭者只一個獎金會否帶來浪費的話題是難題，我的好友巴澤爾一九六八年發表的有名文章說會有浪費。巴兄認為只有一個獎金，發明的競爭者會爭先恐後，在時間上搶先的成本過高，違反了經濟效率。我不同意，但要到本章稍後才討論。

第三節：阿羅的想像與世界的現實

還健在的阿羅（K. J. Arrow, 1921-）是個天才。精於數學經濟，他和十九世紀法國的古諾（A. A. Cournot, 1801-1877）是兩位我佩服的喜歡用數學思考的經濟學者。我認識阿羅。他不走驗證工作的路，但客觀，想像力強。我自己少用數，但認為經濟學需要有古諾及阿羅這種人。鳳毛麟角，一百年一個，考慮走數學經濟的路的同學要三思而後行了。

三個特徵的意思

阿羅一九六二發表的《發明的經濟福利與資源運用》是重要文章，雖然好些地方我不苟同，但他提出了幾個關鍵性問題，我們不能漠視。不是他首先提出的，但他綜合起來發揮，思路縱橫，牽涉到的範圍甚廣。他指出發明研究有三個特徵帶來困難：uncertainty、indivisibility、inappropriability。

Uncertainty指風險。基本上風險無從量度，我喜歡代之以訊息費用，但大家接受的是發明的成果事前難以預料的因素大。阿羅認為人有規避風險的傾向，不利研究發明的投資。Indivisibility是說不可分割，有點像傳統分析成本曲線所說的"團性"，但阿羅是指一項發明或思想不容易分割或切開出售。這就帶到他關心的不容易把不同的使用者隔離的問題。我認為他其實要說的是發明是共用品，可以讓無數人一起共用，把他們隔離收費不容易。Inappropriability直譯"不能撥款"，在阿羅的內容上應該解作"不能界定付款的分配"。更簡單地看，indivisibility與inappropriability相加，阿羅是說發明的成果不容易收取回報——incapturability是也。比起大家知道的市場物品，思想或發明有銷售收錢的困難。這一點，我的考查支持阿羅的看法。加上科研的風險大，他的結論是市場的發明投資是偏低了，經濟效率不足，需要政府資助。

不要把專利與秘密混淆

投資發明有成本，在市場出售使用的權利需要收費，但在上述的特徵下，阿羅提出三個收費困難，都有爭議。他對真實世界發生着些什麼事喜歡像小孩子那樣左問右問，但自己從來不做實證研究。我要把他提出的三個收費困難以我知道的現實世界的運作比對一下。

阿羅指出的收費困難的第一點，是“任何人使用一項發明會知道是什麼。要購買該發明的人要知道是什麼，但知道了這個人是沒有付錢就先獲取”。不知何物，知識資產的維護當然困難。然而，發明專利的要點，是註冊時需要公開佔有的是些什麼，要以實物表達。換言之，以公開是何物的方法來註冊專利會減少收費的困難。阿羅這第一點用於商業秘密是對的，但用於發明專利不對。

私人與社會利益不一定有衝突

阿羅提出的第二個困難，源自他說的“不可分割”——我認為其實是共用品——的看法。受到霍特林與薩繆爾森的影響，他認為既然增加使用人數的邊際成本是零，不應該收費，但不收費就不會有人投資於發明研究了。他寫道：

> 在自由市場中，發明研究的行為受到創立產權（即發明專利）的支持。正因為在某程度上是成功了，發明知識的使用會被壓制。困難於是成為：在自由市場中有利可圖的發明會帶來無效率的資源使用。

一個思想或發明可以讓無數人一起使用，是共用品的特徵。多讓一個人使用的邊際成本是零，所以不應該收費，是老生常談的話題，但不收費難道要靠陶西格說的自發性的發明嗎？至於共用品應否收費這話題，我在《科學說需求》的第八章提出了自己的見解，這裡不再說。要說的是當年我考查過不少發明專利的租用合約，那些合約的條款不支持阿羅的看法，或起碼提出重要的問號。

發明專利的租用合約一般有一個放在前頭的較大額的一次性收費（lump-sum），跟着以每件產品算的收費下降，顯示着專利的持有者鼓勵租用者增加產量的意圖。考慮到消費者盈餘的榨取，原則上最理想的收費方法是一次性地收取一個大金額，然後每件產品不再收。不同的使用者可以收不同的一次性的金額。這樣看，原則上，發明者的最高收入是所有使用者的邊際收費是零。只要能這樣處理，源自霍特林及薩繆爾森的阿羅說的邊際成本是零所以不應該收費的觀點是推翻了。他們可沒有說完全不應該收費，只是說收費不應該左右邊際的使用。發明專利的持有者為了增加自己的財富，其意圖跟阿羅的社會利益意圖是沒有衝突的。要是交易費用容許，發明專利的持有者可以找到不同使用者的不同一次性收費，也可以按時把這些一次性的收費一次又一次地調校。這樣，專利的持有者的最高財富是使用量的邊際收費永遠是零。

當年考查功虧一簣

問題是市場的交易或訊息費用往往不容許這樣做。當年考查了不少發明專利的租用合約，我的直覺認為發明專利的持有者按產品件數收取使用費的主要原因，是希望通過按件收費來獲取市場需求的訊息。租用發明的人不會樂意或誠實地提供產量的數字，按件數收費專利的持有者有權查察，知道生意有多好才考慮調校續約時的一次性收取的金額。當年我花了不少時間追查專利租用合約兩三年後一般要續約的新合約，要看看同一發明專利租給同一使用者的續約條款的變動是否一次性收費與按件收費的比重不斷地上升，可惜怎樣也找不到前、後同樣合約與同一租用者的續約延伸。一個基金給了一筆不小的經費，我從美國某機構購進了幾百份專利租用合約，其中找不到連續性或續約的。發明不同，公司不同，是以為難也。

基礎研究的爭議

最複雜是阿羅提出的第三個收費困難，傳統上不少人關心過。那是關於基礎研究（basic research）。基礎研究是指那些本身沒有市場產品的研究，其所得只可以作為他朝帶來產品的基礎，或希望他朝會發展出新產品。阿羅認為有產品的發明收費困難，沒有產品的基礎研究所得的收費是難上加難，所以市場對基礎研究的鼓勵是更為失敗了。他也認為，基礎研究本身不會帶來收入，但其他競爭者知道後可以得到啟發而發揮，有捷足先登的可能，這會使原先的基礎研究者更不樂意投資下注了。

阿羅的《發明》文章發表於一九六二。一九二一年，奈特（F. H. Knight）之見是發明專利的主要受益者是最後製出產品的人，可能是最後輕輕一觸的 finishing toucher。還沒有產品的基礎研究成果可以註冊發明專利大家知道。但一九三四年，普朗特反對發明專利時，提出的卻是基礎研究不是啟發他人“盜用”思想，而是基礎研究獲得的專利保護會妨礙其他研究者的發展。換言之，在基礎研究這個話題上，怎麼樣的看法都可從經濟學的大師中找到。真理究竟是什麼呢？

阻擋專利的闡釋

我要在這裡向同學們介紹“阻擋專利”（blocking patent）這一詞。原則上，所有發明的專利保護都有阻擋性，因為要有“阻擋權”才可以收費。但“阻擋專利”這稱呼主要是為基礎發明的保護而用的。我有了一項可以清楚界定的發明，有產品出售，專利註了冊，你要發明同樣的被我阻擋着——但這不是“阻擋專利”的意思。基礎發明的專利，阻擋他人研究，才是。問題是，我有一項基礎性的發明，註了冊，內容因而公開，但沒有產品面市，我是無法阻止你私下採用我這專利作研究發展的。這是說，他人基於我的基礎發明作研究我無從阻止。我要等他人研發出一件產品，在市場出現，才考慮有否侵犯了我的基礎發明，才考慮應否訴之於法。換言之，一項有市場產品的發明專利可以阻擋他人研究，但基礎發明的專利註冊是不能阻擋他人的研發權利的。當年我和幾位助手跟進了幾件因為有了市場產品而打的侵犯基礎發明的官司，法庭的判決往往有武斷成分。發明的界定一般是複雜話題。

不用其實是用了

從上述我們也可以知道，那無數的對發明專利註冊的實踐用途的統計研究是無聊之舉。這些研究説百分之四十到八十的發明專利沒有市場產品，因而認為這些專利是廢物，浪費了金錢。我同意有些專利的註冊是某些人幻想着有利可圖的玩意，其實沒有市場，浪費了專利註冊的不低成本。然而，我們不容易判斷這些註冊的目的是為了什麼。在科技發達的今天，沒有產品的基礎性研究往往牽涉到一組被僱用的研究專才。這些專才要互相合作，而偶有較為重要的發現，因為有一組人的參與守秘很不容易，而法律是僱主不能禁止被僱的辭職轉工。法律可以約束被僱者轉工後不能把原職獲得的研究秘密外洩，但監管很困難，而秘密這回事，一旦外洩是難以收回的。是在這樣的困境中，今天的研發機構每有所獲，會考慮先註冊專利，究竟最終有沒有實際的市場產品不是今天要管的事。

一項發明專利的保護期是十七年，在這期間可能有其他有關的發明出現，或者原有的發明可以改進。事實上，就是那些有了市場產品的發明專利，十七年的保護是足夠的時間讓該專利的持有者繼續研究改進。如果沒有可以守秘的考慮，每一步改進往往有每一步的專利註冊行為。一般是法律手續成本高昂的玩意，但從事研發的機構選擇這樣做，較大的機構有他們自己的專於發明註冊的律師。

性質不同保護有別

我認為那些沒有市場產品的基礎研究的主要問題，可不是阿羅說的偏於投資不足，也不是普朗特說的阻擋過甚，而是發明專利的保護需要把發明表達在一些可以看到的物品或操作的程序上。不需要在市場出售，但要有看得到的表達。思想的本身，就算天才絕頂，如果不能憑一些物品或程序公開說明，是不能註冊專利的。當然還有商業秘密、商標、版權等其他保護方法。

無可置疑，學術上的研究，雖然有些成果可以註冊專利，但通常沒有這種保障。這可能解釋了學術研究有較多的政府及私人非營利機構的資助。以我熟知的經濟學而言，外間對研究的資助不重要。但我知道今天的生物學研究，純學術性的，沒有資助不成。然而，從事生物研究的朋友一律同意，重要的生物學發現一般是出自沒有政府或外間資助的時代，只是今天的研究變得太複雜，要勞師動眾，且儀器昂貴，沒有資助不成。

最後不妨以我這個老人家為例：今天既不能升職，也無法失業，但還是天天在學術那方面打轉，想着些沒有人到過的思想領域去。這可能就是陶西格說的自發性的本能吧。

第四節：商業秘密

好奇心或金錢之外的興趣可以解釋不少研究發明的行為。然而，為了金錢或職位而研究總要有一點知識的保護，即是要有權利選擇拒絕某些要使用這知識的人。在不同程度上，這拒絕權利可以源自一些特殊情況，或緊守秘密，或依靠風俗或法律。

好些情況，自我保護不需要用上守秘的途徑。個人的天賦或獨特的風格會增加仿傚者的成本。某些有壟斷性的產品可以維護與該產品有特殊關係的發明。然而，這些情況不能一般性地提供知識資產的保護。商業秘密（trade secrets）是重要的另一回事。

法律不需要協助，不能不協助，無從協助

有大成的商業守秘例子不少。我提及過可口可樂與雲南白藥。製造最好的鈸（一種樂器）的金屬的提煉方法的秘密在一個家族中保存了幾百年。古往今來最貴重的小提琴，由意大利的斯特拉第瓦里製造，其處理木材所用的油究竟是什麼被他帶進墳墓而失傳。這些神奇的守秘效果是不需要法律協助的。人的腦子可以是那麼牢固的保險箱，就是武力也不易打破。從可以安全守秘的角度看，法律不需要協助。

不需要法律保護的商業秘密否決了普朗特的反對壟斷價格，也否決了阿羅的反對邊際使用收費。在自由經濟中，壓制私人的秘密自守會對社會整體為禍。西方的先進之邦，維護商業秘密的法律牽涉到普通法的幾方面，否決商業秘密會使整個法治架構倒塌下來。從法律可以協助商業秘密的角度看，為了維護法治的整體法律不能不協助。

當然，守秘不容易。如果“倒推工程”（reverse engineering）能使外人見到產品可以複製出來，法律無從維護商業秘密。在西方，公平的倒推工程是法律容許的。因此，在一端商業秘密根本不需要法律維護，在另一端法律維護不了。兩端之間有一個發明活動的層面法律對秘密的維護有助，但因為外人不知秘密是什麼，產權無從界定，西方只能採用普通法中關於合約、侵犯、信託、代理、歸還等法律處理，而其

中合約法律最重要。

一般而言，經過化學作用的變化而製成的產品，以倒推工程追溯做法很困難。可口可樂與雲南白藥是例子，釀製美酒的秘方與烹飪的食譜也類同。外人見到物品但不知其做法是最佳的秘密保護，中國的傳統滿是這種例子。然而，轉到以設計或機械為主的發明，倒推工程遠為容易，守秘失靈，發明專利的保障就有用場了。可以這樣看吧：如果我們不管普朗特與阿羅的投訴，發明專利對工業的發展遠比舊中國的手工藝傳統重要。從倒推工程容易的角度看，法律是無從協助商業秘密的。

法律協助的兩方面

回頭說上文提到的秘密的兩端，一端是秘密用不着法律保護，另一端是法律無從保護，那麼我提到的普通法的幾項用於商業秘密的法理是保護着些什麼商業秘密呢？有兩方面。其一是那些根本不需要法律保護的秘密，如果要租出去或賣出去給外人使用，沒有法律的協助不容易收到錢。沒有發明專利的註冊，購買者或租用者知道了秘密可以立刻佔為己有，賣家怎可以收錢呢？好些發明者可以安全地守秘的發明，尤其是比較瑣碎的，自己或者沒有能力製造產品，或者秘密只是某產品的一小部分，發明的人會考慮租出或賣出。他可以先註冊發明專利，有了明確的保護才出售，但這註冊往往手續複雜，要寫下明確的佔有困難，好些時甚至寫不出來。

一九五七年，一件有名的美國官司案牽涉到一個家庭主婦想出把一種藍色的粉末加進洗衣粉內，值錢，把這想法提供給一個製造商，但收不到錢，打起官司該主婦勝了。這是很難得的勝仗，所以有名，但主婦勝出可不是因為有合約的維護，而是因為普通法中有一項稱為“不公平致富”(unjust enrichment）的法理。也有另一件我記不起是什麼時候什麼地方的官司，更為神奇。一位顧客進入一家餐館進食，欣賞某菜式，問食譜為何，餐館奉告，這顧客跟着在自己的餐館照譜出售，打起官司，提供食譜的餐館也勝。

另一個法律可以維護秘密的用場，是在研發的過程中需要防止秘密外洩。上節我們提到，研發往往需要有一組人合作，而人數愈多外洩的機會愈大。雖然中途有成果，遠沒有市場產品也可先註冊發明專利，但很多瑣碎知識或小發現難以頻頻註冊，需要互相守秘。可以協助這種守秘的法律是合約法律。

推銷秘密困難的證據

不管怎樣說，一個秘密公開了就再不是秘密，而任何洩漏要收回很困難。要證明有人盜竊，或非法地外洩，或證明不是他人自己想出來的知識——一律困難。上世紀六十年代美國一些學者估計舉國每年花掉的工業間諜活動（industrial espionage）及其防止的費用，加起來是天文數字。因為上述種種，要把一個商業秘密賣出或租出遠比一個發明專利困難。有兩項證據，一弱一強，顯示着以市場合約擴散發明知識，商業秘密的確困難。較弱的證據，是當年我和助手調查了數百份知識租用合約（license agreements），商業秘密的不到發明專利的十分之一。説這證據較弱，因為秘密數不出來，也因為搜集到的合約版本數量可能有偏差。但商業秘密的租用通常有抵押的要求或指定，而發明專利的租用則沒有，加強了證據。

較強的一項證據，很強的，是商業秘密的交易洽商，開始時秘密的擁有者一般要先簽下一份權利放棄協議（submission agreement，可稱棄權書）。一九七五年我囑助手去信一千五百家機構，要求提供這協議的樣本，獲三百二十份。還沒有詳細審閱，兩位仁兄一九七六年發表一篇關於這協議的文章，基於一百零五份樣本。是什麼協議呢？一個商業秘密的持有者找一家機構接洽，說有秘密出租或出售，該接見機構會要求來者先簽這份協議才讓他說秘密是些什麼。該協議或說明機構接受或考慮一個秘密不代表答應守秘；或說明除非來者正在申請發明專利，否則要放棄所有關於該秘密的權利；或說明考慮秘密的機構什麼責任都沒有。有些協議把這幾個棄權條件一起放進去。換言之，商業秘密的持有者找機構覓知音，希望賺點錢，接見的機構會說："你不要開口，除非先答應什麼我也不用負責。"這是指在西方普通法約束下的情況。不先要來者簽這一份棄權書，接見的機構可能惹禍上身，也可能機構本身已經有類同的商業秘密。還有另一個要點需要提及。那是在上述的棄權書中接見的機構往往寫明提供秘密給考慮的要全部說出，不可有局部的隱瞞。這一切，可見商業秘密的推銷有很大的困難。

租值消散無從估計

商業秘密，就是某程度有法律的維護，算不算是一種產權可以爭議。雖然原則上一個秘密的持有者可以杜絕他人免費使用，他無法禁止他人用公平或自我研究的手法發掘出來。好比一間房子是我的，內裡有珍貴之物，只要你能猜中是些什麼可以進去予取予攜！這就帶到一個重要的有趣觀察：商業秘密容易引起租值消散——邏輯上，這租值消散可以使一項商業秘密的社會價值變為負值！

我在上文提到工業間諜活動的社會成本龐大。又好比上文提到的猜房子內的珍貴物品，猜中是你的，你和其他人加起來的猜測成本可能高於物品所值。歷史上不少大有市場價值的靠保密發達的產品，仿傚或假冒的人無數，法律費用不論，這些行為牽涉到的總租值消散我們無從估計。

另一方面，我們不能說仿傚或假冒的成本對社會的貢獻一般是負值。好些仿傚品不僅本身有價值，而優於原來保密產品的也屢見不鮮。商業秘密是只要其產品或服務面市，外人不能施展倒推工程也會因為見到而得到啟發，什麼蛛絲馬迹或多或少是提點，研究找尋的人夠多會有新產品出現。好比你發明一種可治癒癌症的生草藥，天下獨有，關上門在密室行醫，十治九癒，消息傳開了，外間肯定你是神醫，患者會說你用的是生草藥。只靠這些提點，外人能找到類似的治法的機會一定大升。

我們因此無從判斷商業秘密惹來的租值消散是否高於大家見到產品或服務得到的提點給社會帶來的貢獻。另一方面，守秘是人類天生的權利，壓制這權利的禍害明顯。從西方普通法的經驗看，不尊重守秘會影響法治的幾方面。以普通法維護秘密的一個主要困難是因為幾方面的法律不能分割。這觀點一九八二年我以英文發表，行內的朋友接受。

成功專利可以夜不閉户

在同一文章中行內朋友認為更重要的是提出了發明專利的成立需要有一個可以觀察的轉移（observability conversion），即是我在前文提到的專利註冊需要把一個思想表達在可以觀察到的物品或程序上，加上要用文字表達着發明者要佔有的是什麼。困難明顯：好些思想不能作上述的轉移，而就算能夠，要寫下佔有的是些什麼很不容易，尤其是不少其他人可能註冊了相近的說法。發明的人不懂法律；註冊的律師需要是有關科技的準專家。專利註冊處需要有各行各業的科技人才。滿足了這些，同一法官可能今天審判電子科技明天審判汽車零件。一個算得上是成功的發明專利制度是成本高昂的制度。

換來的是什麼呢？是成功的發明專利有神奇的功能。一個富有人家不會把他的珍寶留在家中，家中無人時不把大門關上。但成功的專利註冊卻可以這樣做！這是因為任何人盜用專利早晚會在市場產品見到。跟商業秘密不同，發明專利用途的擴散遠為容易：其租用合約是遠為簡單及直截了當的。重複一項有了明確專利註冊的發明我們很少聽到。

合伙合約協助守秘傳達

在實踐上，一個發明的人得到有價值的成果喜歡雙管齊下，或者律師會這樣教他。這是儘可能把不容易守秘或外人可以作倒推工程的那部分註冊發明專利，可以守秘的那部分繼續守秘。不容易，因為發明專利的註冊處一般要求全部公開。這不等於一個註冊者不會在這裡那裡把一些知識隱瞞着。

中國開放改革以還，中、外合資的發展大有可觀。我認為這成就的一個原因，是外資帶進科技時，因為合資有伙伴關係，有專人長駐，瑣碎的秘密提供可以監管。商業秘密通過伙伴合約守秘傳達，其交易費用是遠比租用合約或買賣合約為低的。

第五節：發明專利界定研發權利

關於知識資產這個老生常談的話題，雖然參與研究的學者無數，但一般不到位，其中一個困難是漠視了知識或發明屬共用品——即是無數的人可以一起共用的。共用品的分析困難自成一家，我在《科學說需求》的第八章提供了自己滿意的分析。本章討論的發明可不是讀書求學那種知識，其難度更上一層樓，好比半導體或電燈、電話那些科技意念。

一項發明是共用品，不把使用的人隔離難以收取費用，正如電影院要以門票隔離那些不付費的人。發明專利與商業秘密的性質不一樣，但持有者皆有隔離的權力，不付費不能使用。如果我們不管那些自發性的發明，或那些由政府資助的，那麼沒有專利或秘密的維護，發明收不到錢，除了自用所需的自創，大有市場價值的發明不會出現。研發的投資成本往往高昂，私人或企業下注要有點保護，但因為成果是共用品，某程度的專利是需要的保護了。

公海捕釣的比喻

在上節我提到商業秘密會導致租值消散，但認為從社會的角度看，外人的偷師或猜測這裡有害那裡有利，我們難以估計這消散帶來的整體效果。我是行內唯一的指出商業秘密會導致租值消散的人。另一方面，發明專利卻有不少行家說會導致租值消散，其中主要是前文提到的普朗特與巴澤爾。普朗特說多人參與研發，勝出只有一個，發明研究於是重複了，是浪費。普氏之文發表於一九三四。巴兄之文發表於一九六七，顯然是受到戈登（H. S. Gordon）一九五四年發表的關於公海漁業的分析的影響。戈登是第一個採用“租值消散”（dissipation of rent）一詞的人，但他的文章的思維是源自奈特一九二四年發表的《社會成本闡釋的謬誤》。二者皆有錯，不是小錯（見拙作《合約結構與非私產理論》，一九七○年），但都是重要文章。

戈登分析公海漁業的要點，是海洋非私有，任何人可以隨意捕釣，參與捕釣的人會比海洋的捕釣權利是私產的情況為多，以致捕釣的均衡點是捕釣的成本等於魚獲的所值，海洋的捕釣租值於是下降為零。這是說，要是海洋的捕釣權是私產，業主約束捕釣會有租值，但作為公海沒有約束的捕釣，人數的增加導致的成本增加會取代海洋的捕釣權利作為私產應有的租值——這租值是因為公海捕釣的總成本增加而消散了。

說公海捕釣會導致租值消散是對的：沒有業主收租，在競爭下應有的租值因而消散是定義性的結果。我在上文提到這分析有錯而且不是小錯，不是指這消散的結論，而是促成這消散的機制運作被漠視了，得到的經濟含意有大差別。不是淺學問，因為原則上每個參與競爭捕釣的人都有意圖減少這租值的消散。這話題我曾經在《收入與成本》詳述過，也會在卷四討論價格管制時再作補充。

耕耘權利是研發權利

公海捕釣，所獲的魚是私產，租值的消散起於捕釣權非私有，沒有業主為了爭取租金極大化而約束捕釣者的人數及行為。要是捕釣權屬私產，租值消散不會出現。這好比一塊農地有兩項權利：其一是耕耘的權利，其二是種植收穫的權利。租值消散的出現是指耕耘的權利非私有，其使用沒有業主的約束，會導致荒廢農地或使用時出現糾紛等租值消散的現象。

轉到發明專利那方面，一項發明是共用品，專利的批准是私產的維護，協助收取使用費或租值。普朗特及巴澤爾分析的是這專利只提供一個獎金，多人競爭會導致重複了研發及爭先恐後等行為，使一個發明專利的租值在競爭下消散了。他們的分析含意着的是研發的權利非私有，等於海洋的捕釣權或農地的耕耘權非私有。以這邏輯推理，多人爭取發明專利惹來的社會租值消散可以高於發明專利帶來的私人租值。

這個看來是淺顯的結論，當年我不同意，因為我想到耕耘的權利與收穫的權利這兩方面去。發明專利是收穫的權利，由政府界定為發明者所有，而發明的耕耘權利無疑是發明的研究權利——即研發權利——我問，這後者是像公海捕釣那樣，屬公有的權利嗎？想了幾天，答案竟然是：不一定！這奇怪的答案當年在西雅圖華大吵了起來，最後巴澤爾同意我對，他錯。

郵輪大霧遇難的例子

同學們可以考慮如下的例子。一艘滿載富人的巨大郵輪在大海遇難，快要沉到海底去。霧很大，什麼也看不到。有關當局公布找到該郵輪可獲巨獎，誰先找到會獲天高的獎金。假設那還不是科技發達的時代，沒有什麼雷達之類的儀器，只能用小艇去找尋該巨輪。只有一個大獎，會有很多小艇去找尋，或起碼去碰一下運氣嗎？那唯一的大獎是租值，會被眾多小艇找尋的合共成本替代甚至超於替代了嗎？

答案是不一定。因為只要小艇的主事人大家知己知彼，互相知道大家的比較成本優勢，認為自己鬥不過的不會冒險出海找尋。擁有快艇的會去嘗試，擁有慢艇的不會。有指南針的會偏於嘗試，沒有的不會。如果只有一兩隻小艇剛好有先進的儀器，其他艇主知道，出海找尋的只會有這一兩隻，其他的會知難而退。

普朗特與巴澤爾認為因為發明專利只有一個獎會導致多人重複研發或大家爭先恐後，研發總成本的增加會導致租值消散。我的想法相反：正因為只有一個獎，不認為自己有某程度的比較成本優勢的不會參與競爭，另謀高就的考慮重要。成本是最高的代價，不是因為有大獎就不管成本的。這只有一個獎的情況與公海捕釣的情況很不一樣。公海捕釣，所獲是多是少，是大魚還是小魚，皆獎賞也。

租值消散不容易的原因

我曾經用自己發明的數學方程式證出（數學專家認為難看之極，但奇怪地對，行內傳為佳話），公海捕釣要把租值全部消散，不僅捕釣者的自由參與要毫無政策約束，也要他們的捕釣成本與技術本領一律相同，以及捕釣的人數要達到無限多之境。租值消散不是那麼容易的事，因為原則上減少這消散會使社會整體得益。

現在的問題是，一項發明專利只提供一個獎，而這專利的本身是共用品，即是無數的人可以一起互不干擾地共用，只為一項專利而投資研發的敗軍之將會血本無歸。因此，只要研發的競爭者彼此之間的比較成本優勢的訊息費用夠低，只會有很小的一撮人參與一項專利的發明研究。換言之，在比較成本優勢的訊息費用夠低的情況下，發明所得的專利權的設立是含意着發明研究權利（即研發權）的私有界定。這不是我的幻想，在本節的最後可見，事實的考查與驗證支持着我的假說。

觀點重要，讓我再說一次。因為發明專利只提供一個獎，也因為一項發明是共用品，可以讓無數人一起共用，再因為研發的成本不低，所以只要研發的競爭者之間的比較成本優勢有足夠的訊息，發明專利的界定是含意着研發權利的界定，在競爭下租值消散不會出現。

級差租值的看法

這裡說起理論，不妨多說幾句。先不要管發明專利的獎金，有了界定的研發權利值多少錢呢？這是問一幅耕地值多少租金呢？我們要指定該耕地是用來種植什麼的。這樣看研發權利，其所值是級差租值（differential rent）。這概念來自十九世紀天才李嘉圖（D. Ricardo）提出的級差地租。眾人皆說李前輩錯了，我認為是小錯大對。前輩當年問：農地為何有地租？他的答案是因為不同農地的肥沃程度不同。有小錯，因為只要農地供不應求，即使肥沃程度一樣也會有地租。是大對，因為只要肥沃程度不同，即使農地的供應無限較為肥沃的也會有地租。農地無限，地租之所值是同樣耕耘成本較為肥沃的產量增加的那部分，一層一層地算下去，最不肥沃但還有人耕耘的地租是零。

從李嘉圖的級差地租看研發權利的所值，我們可以說級差租值是發明的天賦之價，在競爭下等於比較成本優勢的差距。因為研發所得的專利只有一個獎，不同的競爭者會按各自的成本優勢而選走不同的研發的路，可以很相近但不相同。如果研發的成果在事前有難以確定的因素，爭取同一發明的情況存在，但不會是很多的人。又因為成果事前難以確定，有血本無歸的失敗也有意外的驚喜發現帶來的高回報，但這些可沒有推翻級差租值是研發權利的所值。

真實世界的印證

現在我們可以轉看真實世界的情況了。以科技發達的美國經驗為例是適當的。有兩項相當普及的安排支持着本節的分析。其一是發明專利集用（patent pool）的安排。這是不同的機構一起簽下集合協議，把大家研發所得的專利集合共用。在有反托拉斯（政府反對串謀壟斷）的顧忌下，這種專利集用還普及，顯示着研發的機構重視要避免有意或無意間重複了可以節省的研發成本，也即是要減少租值消散。第二種普及的安排也類同。那是專利交叉使用合約（cross licensing），即是你的發明專利給我用時我的發明專利也給你用。不一定是為了減少租值消散，但有這樣的效果。

上述兩種安排之外，我們還要提到研發外判合約的普及，也要提到專利註冊的搜查（patent search）是例行的研發程序，往往由專業人士處理。這些當然是要避免重複研發或爭先恐後的租值消散的浪費了。

可能最有說服力的發明專利帶來租值消散甚微的證據，是美國發明專利局的干擾記錄檔案（interference proceedings）。這些記錄，起於兩項或更多的發明同時申請專利註冊，但有相同之處，因而互相干擾，需要仲裁而存案。上世紀七十年代我和助手們考查發明專利時，得到的資料是只有約百分之一的發明申請專利時出現互相干擾，需要仲裁。考慮到當時從申請到批准平均要三年半的長時日，這百分之一的互相干擾是很低的數字了。

第六節：交易費用促成專利制度

沒有誰不同意人類最有價值的資源是他們的腦子。雖然我說過人類到最後可能因為自己的腦子了得而毀滅自己，但回顧歷史，儘管互相殘殺的蠢行為無數，人類因為腦子可以思想帶來的進步是宇宙的一個奇蹟。

在人類稱得上是有價值的資源中，只有腦子不可能不是私產。就是勞動力也可以被強迫作為非私有，但腦子怎樣想外人無從知道。可以被破壞或被毀滅，但腦子怎樣想原則上外人無從干預。在這個上蒼主宰的運程中，腦子的產出其中有很重要的一部分是經濟學者吵了近兩個世紀的共用品，即是無數人可以一起共用的。始於一八四八年密爾提出的燈塔例子吧。沒有隔離使用者的權力，共用品收不到錢。建議共用品的使用不收錢曾經是經濟學的主流思想，今天可能還是，但歷史的經驗說，以隔離權力來收取費用是人類發達的一個主要原因。版權、商標、名牌寶號、商業秘密、發明專利等，都是隔離收費的例子。

發明是共用品，專利法律協助隔離那些不付使用費的人。壟斷是效果，雖然期限一般在十五至二十年之間（美國是十七年）。發明專利能保護的只是知識資產的一小部分，但因為有明確的法律，多而複雜，專家不少，然而，深入考查的經濟學者則屬稀有。

沒有利益團體左右的法律

我信奉經濟學的主旨是從局限條件的轉變來解釋行為的科學，因而在多項政策性的法例上下過工夫。每項法例知得不是律師打官司那個水平，但知得多而雜，希望從中能找到一些局限條件的轉變引用到需求定律那邊去。

可以說，在我考查過的屬於政策性的法律或規例中，只有發明專利的我找不到任何對社會整體有明顯的負面影響。美國的發明專利法律有些我不能肯定對社會有貢獻，有些官司的裁判我不認同，但法例的本身我沒有批評過，而歷史上每次修改我總認為有合乎經濟原則的道理。比起什麼最低工資、勞動法例、租金管制、價格管制、樓房政策、環保條例等——從社會利益的角度衡量我容易搖頭嘆息——但發明專利的法律我沒有批評過半句。考慮到設立或修改發明專利法律的人不知共用品為何物，也不是什麼交易或訊息費用的專家，我的衷心欣賞應該解釋一下。

範圍雖小，發明專利的法律及檔案洋洋大觀，而且往往牽涉到價值連城的知識產品。經濟分析為什麼那樣難以批評呢？我找到的答案，是這組法律的興起與修改從來沒有受到壓力或利益團體的左右——我個人看不到。上文提到的勞動法例、樓房政策之類的法例，利益團體的壓力明顯得像太陽普照，但發明專利的法例我們不容易看到哪些團體或明或暗地在壓着些什麼。只此一項政策性的法例能在我面前獨善其身。這觀察教我們，凡是政策法例牽涉到把財富或收入再分配，不容易達到意圖的效果。真正獲益的通常是一些混水摸魚的人。

發明專利維護研發者的收入，是收入原創的保護，沒有把收入再分配的意圖，利益團體的左右一般不存在。法庭的判斷有時偏袒，有時說不通，但長遠地看這些判斷帶來的法例修改，都是朝着對經濟整體有利的方向走。這是上世紀七十年代我跟進美國的經驗得到的啟示，當時我對助手們說很佩服發明專利法例的發展。

廣義交易費用的節省

從我曾經提出的廣義性的交易費用（即社會制度費用）角度看有關的問題吧。有了產出之後以法例把財富再分配，必會大幅地增加這些交易費用。我也曾經指出，要是廣義的交易費用不存在，不會有市場——市場是為了減低交易費用而出現的。轉到發明專利制度那邊，如果廣義的交易費用不存在，不會有這專利制度，因為不需要有。發明專利制度的出現及持久存在與修改是為了減少交易費用的。

想想吧。沒有交易費用，不同研發的人在不同項目上的比較成本優勢大家知道，研發合約的外判毫無困難，所有發明的租用合約可以預先安排，共用性質的困擾可以先用預定合約處理，按期的一次性租金可以預先約定而使邊際使用的收費為零，風險的存在可用變化多端的保險合約處理。人類腦子的價值因而受到多種不同的合約保護着。

但交易費用不僅存在，牽涉到知識這些費用一般高昂。發明專利針對某類知識，保護的不是抽象的腦子思想而是具體的腦子產品。因為腦子的產品往往屬共用品，這制度以專利的授予來讓發明專利的持有者隔離不付費用的人。為恐這專利保護過甚，年期的約束出現。我從來沒有在發明專利的資料上讀到關於共用品的言論，但這專利說明不保護技術是顯示着主事者知道關鍵問題：技術不是共用品。

法例演變的證據

發明專利首次出現是一四七一年，在意大利，一七九三年美國引進。重要的發展是美國一八七〇年加進了佔有權（patent claim）這個重要概念。個人認為在佔有權引進之前發明專利的保護有點糊塗，引進了佔有權變得遠為清楚，交易及訊息費用是大幅地減少了。我對佔有權的闡釋，是前文提到的把抽象的發明轉移到可以觀察的物體或程序上，然後以圖片及文字表達清楚發明者要佔有的是什麼。這解決了很多因為模糊不清而引起的困難，但同時把可以註冊專利的範圍收窄了。大自然規律的發現因為範圍太廣不能註冊，引進了佔有權這概念之後再沒有是否大自然規律的官司。

衡量佔有權的申請應否受到保護的準則，在美國出現過幾次重要的修改，都有減少交易費用的效果。例如一個曾經普及的功用（utility）準則逐漸消逝，因為何謂"功用"模糊不清。一九五二年美國的有關當局提出了一項重要改革：發明專利的申請不會因為發明是怎樣研發出來的而否決。這準則的引進推翻了之前的兩個主張：其一，是否靈機一觸的天才發現不再管；其二，研發者的研究設備為何不再管。

新奇的準則

到了上世紀七十年代，要明確地以實物或程序表達佔有權之外，餘下來的重要準則是發明要夠新奇，novelty是也。怎樣才算是新奇呢？同學不妨考慮如下有名的官司。一八六二年，一個名為Reckendorfer的人想出了把擦膠鑲在鉛筆上。這發明的商業價值甚大，獲得專利，但後來被人抄襲，打起官司，該仁兄輸了。法官的理由是擦膠及鉛筆都不是新奇之物，合併在一起算不上是一個發明。這判斷後來不同意的學者甚眾，因為所有物品的發明都是以舊物合併而成的。

可能因為要澄清類似案件引起的混淆，到了上世紀七十年代，新奇的定義變得遠為清楚了。何謂新奇只有兩點。其一，如果合併的舊物皆曾獲專利保護，其合併使用是普通人見到舊物不會想出這新的合併方法。其二，不管舊物曾否註冊專利，合併了的用途要與不合併的用途不同。當年考查美國發明專利的新奇準則，發覺註冊當局的仲裁者考慮到我在上節提出的級差租值。雖然級差租值會在競爭下由市場決定，批准專利的範圍有彈性，這裡可以大一點那裡可以小一點，有關當局對新奇的衡量是考慮到其他可能作出同樣發明的人的成本或機會相差多遠。

羡慕古人也支持

在自己家內遊目四顧，我發覺沒有什麼物品不是曾經有過一項甚至多項發明專利的保護。我是現代的古人，對新潮沒有興趣，但家中用的可不是什麼明、清家具那麼富有。人類進入工業時代有了長時日，我說過，發明專利制度對工業遠比對以手工藝為主的經濟重要。

我們不容易明白為什麼不少經濟學者反對發明專利制度的存在。可能因為他們沒有跟進過這制度的性質及其演進的史實。我跟進過，認為這專利的存在及其演進主要是為了減少腦子產品出售時近於高不可攀的交易費用。那是我還年輕的三十多年前，既可持久拼搏，也可過目不忘。今天我有點後悔昔日下重注的考查，因為其他題材會有遠為可觀的收穫。我不建議同學們投資於發明專利或商業秘密的研究。但我希望同學們能從我的經驗中知道，要解釋世事，我們首先要知道世事為何。不知世事而作分析的經濟學者無數，在研發與專利的話題上，他們的分析近於一無所知。

不能否認，我羨慕陶淵明的採菊東籬下，恨不得有機會仿傚李白說的古人秉燭夜遊，或能達到蘇東坡那種超然物外的境界。既沒有商業秘密，也沒有發明專利，連什麼版權也沒有。蘇子昔日寫《赤壁賦》只是為了自娛，寫好後不敢給外人讀，是他自己說得清清楚楚的。

弗里德曼曾經問：人是為了要活着而工作嗎？還是為了要工作而活着呢？我沒有答案。經濟學分析的重點是：局限不同，行為於是有別。知識資產需要保護嗎？要增加國民總收入，今天的局限說是需要的。

參考文獻

K. J. Arrow, "Economic Welfare and the Allocation of Resources for Invention," *The Rate and Direction of Inventive Activity: Economic and Social Factors*, Princeton University Press, 1962.

Y. Barzel, "Optimal Timing of Innovations," *Review of Economics and Statistics*, 1968.

S. N. S. Cheung, "Property Rights in Trade Secrets," *Economic Inquiry*, 1982.

S. N. S. Cheung, "Property Rights and Invention," *Economic Explanation: Selected Papers of Steven N. S. Cheung*, 2005.

美國某反托拉斯案，辯方律師向法官要求休假，因為他的太太要生孩子。若干年後，同一律師向同一法官要求再休假，因為律師的兒子生了孩子，有親友慶祝之盛。法官批准，但説道：“我希望你的孫兒生孩子時，這案件已經完結了。”

第五章：反托拉斯的謬誤

反托拉斯（antitrust）直譯是反信託，俗解是反壟斷。其實不是：本卷第三及第四章提到的所有壟斷，反托拉斯皆不反。在美國任教職時我做過兩件反托拉斯大案的顧問，專於此道的行家朋友不少，但說實話，友儕間沒有誰肯定反托拉斯要反的是些什麼。

反托拉斯算是一種法律，因為有法庭審案，但沒有明確的界定。起自美國，西方其他的先進之邦及日本也有，但喜歡採用的主要是美國，那裡的本科課程有教，研究院也教。其實是反什麼呢？我的感受有時是反對以大欺小，有時是反對看來是意圖壟斷的行為，即是反壟斷的動詞（seeking to monopolize）而不是反壟斷的名詞（monopoly）。嚴格地說是反對某些被認為是壓制競爭的行為，但不一致，難以捉摸。

莫名其妙的法律

在美國，政府的某些部門可以按反托拉斯法例起訴私營企業，私營企業之間可以互相起訴，有些案件屬刑事。有兩個明顯的規律。其一是沒有見過小企業或不富有的被起訴；其二是不同政黨執政反托拉斯案件出現的頻率不同：在美國，共和黨執政反托拉斯案件出現的頻率明顯地比民主黨執政為低。換言之，在較為信奉市場的氣氛下反托拉斯的案件較少。

我可以舉兩個有點莫名其妙的例子來示範反托拉斯究竟要

反的是什麼不容易明白，二者皆出現在上世紀七十年代民主黨卡特執政時期。那時美國經濟不景，反托拉斯案件頻頻出現，幫補一下經濟學者的生計——做顧問的薪酬遠比教書的為高。

案例一：美國最大的製造罐頭湯的企業被一家小的競爭者起訴，理由是大的賣廣告太多，霸佔了市場顧客看廣告的眼睛時間，使小的受損，要求賠償。我的一位朋友當該大企業的顧問，結果如何我沒有跟進。

案例二，比較複雜。美國最大的攝影膠卷生產商被起訴，因為該大企業停產某型號的銷量甚少的膠卷。那膠卷剛好是另一家工廠製造的某型號照相機必須用的。被起訴的大企業產出幾個型號的照相機，他們停產有關膠卷的相機，膠卷也跟着停產了，害得只用該膠卷造相機的小企業有相機無膠卷。結果是小企業勝出，獲賠償。合理嗎？再也買不到配件的產品常有，而不容易明白的是為何該小企業製造的照相機需要用的膠卷整個地球只有那大企業一家產出，而且是很少攝影者會用的膠卷。

第一節：為什麼要研究反托拉斯

一八八二年，美國石油大王洛克菲勒（J. D. Rockefeller）把與他有關的四十家企業合併，由一家信託公司集中管理，成為有名的標準石油托拉斯（Standard Oil Trust）。仿傚這種信託安排的人甚眾，有以大欺小之嫌，一八九〇年美國國會通過了大名鼎鼎的 Sherman Act 這個反托拉斯法例。二十年後，標準石油被懷疑施行掠奪性減價（predatory price cutting），以本傷人，政府起訴，標準石油托拉斯一九一一年被瓦解，反壟斷的法例被稱為反托拉斯是那時開始的。一九一四年美國國會通過 Clayton Antitrust Act，一九三六年通過 Robinson

Patman Act，三管齊下，反壟斷的法例在美國變得複雜繁多，案件數量雖然時旺時靜，但歷久不衰。

戴維德是開山鼻祖

經濟學者怎樣看反托拉斯有爭議。弗里德曼、科斯、阿爾欽等人反對所有反托拉斯法例。薩繆爾森、A. C. Harberger、O. Williamson 等人認為反托拉斯偶爾有可取的效果。我怎樣看呢？認為反托拉斯協助促成半個世紀以來美國工業在國際競爭下節節敗退，因為這些法例左右着市場合約的自由選擇。

芝加哥大學的戴維德（A. Director）應該是研究反托拉斯案例的開山鼻祖。他在上世紀五十年代初期跟進了官司打了二十年的萬國商業機器（IBM）的關於捆綁銷售的反托拉斯大案。那是精彩絕倫的案例，對我的思想影響很大。阿爾欽說得對，那大名鼎鼎的芝加哥經濟學派的獨特之處，可不是支持自由市場，也不是弗里德曼的貨幣理論，而是捆綁銷售（tie-in sales）的分析：只有跟芝大有關的人發表過關於捆綁銷售及全線逼銷（full-line forcing）的文章。我也算是芝大一員——一九六七至六九年我在那裡。我沒有用英語發表過關於捆綁銷售的文章，但離開芝大十多年後，有機會向戴老解釋我的分析，他很高興，認為難題終於解決了。

捆綁銷售之外，戴老鼓勵學生及同事寫的關於反托拉斯的掠奪性減價及零售價管制（retail price maintenance）等文章都是一時經典。到了上世紀六十年代初期，從反托拉斯案例研究出來而加以整理的“工業組織”（Industrial Organization）成為美國多所大學的正規科目，本科有教，博士試有考。

旁觀者清街頭可教

當年我是旁觀者，但研究反托拉斯的朋友多，而自己後來也當過兩件大案的顧問。在工業組織這重要研究上，我選走自己的路。有幾個原因。其一是我認為反托拉斯的法庭檔案提供的資料不盡不實。打官司的文件，起訴與被訴雙方各自提供對自己有利的證據，不可能沒有偏差。其二是在美國作實地工業調查，工廠要守秘是一般傾向，遠沒有我當時熟知的香港工業那麼公開。這可能因為美國的工業機構遠為龐大，部門多，不容易找到樂意提供資料的負責人，何況還有反托拉斯虎視眈眈。我喜歡作實地調查，重視跑市跑廠。這方面，今天中國內地與昔日工廠林立的香港是遠為容易獲得可靠的資料的。其三是自博士論文《佃農理論》起，我認為合約的結構是理解工業組織的重心所在，所以一九六九年開始在香港跑工廠，調查件工合約，十四年後發表《公司的合約性質》。

話得說回來，昔日讀美國的關於反托拉斯的文章給我的啟發不少。其中最重要是那些被認為是非法的行為，有趣精彩，而法庭的檔案一般提供細節。我不同意法庭的解釋，也不同意經濟學者的解釋，要自己另闢蹊徑。這是跑廠調查合約帶來的不同解釋了。

反托拉斯認為是罪的價格分歧（price discrimination）是經濟學的一個熱門老話題，我會在第七章分析。反托拉斯認為是罪的捆綁銷售與全線逼銷是精彩話題，我也會在那裡分析。反托拉斯認為是罪的零售價管制不怎麼精彩，我會在第八章分析討價還價時順便帶過。我不是個喜歡刻意地創新的人，但街頭巷尾的觀察多了，對交易費用局限的認識多了，我對這些市場現象的解釋與傳統不同是自然的事。三十歲作教授時我可沒有想到，六十歲我全盤推翻了傳統對這些現象的解釋。

第二節：以本傷人

經濟學研究要找有趣而又有啟發性的現象入手。新奇的現象開頭是一個謎，要拆解，即是說要解釋。這也是說要找尋可以驗證的假說了。跟着我們要把假說一般化，希望能推廣到很多其他不同的現象去。不要管要解釋的現象牽涉到的經濟價值是多少。市值微不足道的現象可能推出精彩的假說，成功地一般化可以協助解釋遠為重要的現象。是的，街頭巷尾的瑣碎現象，解釋了可能推廣到經濟大局的一些重要事項，但那瑣碎的現象要有一點新奇的趣味。是否有趣是品味的判斷。智商高下可以不論，但品味凡俗的人不宜研究經濟。

趣味的排列

轉到反托拉斯要反的行為或現象，市場價值最高的莫如收購或合併，機構變得龐大，反托拉斯說要瓦解（divestiture）。我認為合併現象的趣味塵下，解釋不難，但解釋了不怎麼樣，所以這裡不談。

價格分歧的趣味性是高的，經濟學者注意這現象起自反托拉斯之前。反托拉斯帶來的最有趣的現象是捆綁銷售與算是類同的全線逼銷，過癮精彩，芝加哥的傳統喜歡把這二者與價格分歧相提並論，我因而也會在第七章分析。我認為經濟科學欠反托拉斯一個情，因為這法律的檔案提出了經濟學者之前沒有注意到的捆綁銷售與全線逼銷。

餘下來要討論的是以本傷人、拒絕與串謀這三項，趣味性中等，但不藉反托拉斯討論沒有其他適當的地方。

財雄勢大的故事

“以本傷人”是我從英語predatory price cutting（掠奪性減價）翻過來的中國成語代詞，顧詞知義，是說一家機構可以憑割價而把競爭者逐出市場。但減價是競爭的一種行為，歷來被認為對社會有利。反托拉斯認為不利的是一個壟斷者可以利用割價來殺退競爭者，維護壟斷，霸佔市場。這種對社會不利的行為是指價格被減至在生產成本之下，以本傷人是也。經濟學傳統說完善競爭的均衡點是市價等於平均成本，沒有盈利，掠奪性減價是指價減到在平均成本之下。另一方面，一個壟斷者往往有壟斷租值，經濟學傳統認為這租值的存在含意着邊際價值（即市價）高於邊際成本，對社會不利，引進競爭使價格下降可取。反托拉斯不能接受的掠奪性減價，應該是指壟斷者把價減到在直接平均成本之下。

掠奪性減價是一個普通人容易相信的故事：我是個壟斷者，擁有的壟斷權所獲甚豐。你要參進同一市場跟我過不去嗎？我會把價減到你血本無歸，敗走麥城，從而維護我的壟斷豐利。又或者你已經進入了同一市場，競爭逼我減價，我財雄勢大，一不做二不休，索性大幅割價，逼你破產收場，從而獨享一個壟斷者的利潤。

是可信的故事吧，但經濟學應該怎樣分析呢？前文提到，一九一〇年美國的標準石油被反托拉斯起訴掠奪性減價，以本傷人，結果該龐大的托拉斯（信託組織）一九一一年被瓦解。我的一位好友John McGee五十多年前深查此案，得到的結論是標準石油沒有掠奪性減價，指出如果標準把競爭者收購，其成本會比減價對自己的損害為低。

從上頭成本的租值看

公說公理，婆說婆理，我持另一個看法。我認為問題要從我在《收入與成本》中提到的上頭成本與直接成本的分別看。不管灰色地帶而簡化，上頭成本是入局時的投資，入局之後覆水難收，但因為其他競爭者要參進也有入局成本，我的入局投資會因為有市場的保護而成為租值，可能比入局時的投資較高或較低。把生意出售我可以獲取這租值的折現，因為有這個選擇，這租值可以作為成本看。另一方面，直接成本是不產出就不需要支付，可以轉作其他用途，所以是另謀高就的代價。

這裡的問題是如果有外人參進競爭，我的上頭成本的租值會下降，要減價阻嚇外人參進，我要從租值那部分減。我是因為沒有打算另謀高就才這樣做。另一方面，如果我要以減價的方法來把一個存在的競爭者逐出市場，我會考慮我的租值比競爭者的為高才出手，因為只有這樣我才有勝出的機會。如果我的租值比競爭者的為低，首先割進不產出不需要支付的直接成本的是我。這樣，以減價作持久戰，不管多富有，只要競爭者還有租值，早晚要先敗下陣來的是我。

簡化了看，租值是產品市價高於直接平均成本的那部分。競爭減價，誰的租值低誰先出局。要以本傷人的掠奪性減價是指割進自己的直接成本。上頭成本的租值是入了局之後由市場的競爭決定，競爭者要參進的考慮，是存在的生產者的租值是否夠高，或自己的入局成本是否夠低，有點油水。如果我先存在，你可能見到我的租值高於你的入局成本而嘗試，或見到我的租值低於你的入局成本而卻步。如果你和我一起存在，我可能見到你的租值比我的為低而考慮減價把你逐出市場，希望增加自己的租值。我這樣看你，他人也這樣看我。這是那所謂完善競爭的一個含意：邊際產出者的租值為零是均衡點。原則上，考慮入局但還未入局的可以看為邊際競爭者，入局需要付出的投資還是直接成本，不是租值。因此，參進了的競爭者可能每個或多或少有點租值。換言之，經濟學説的邊際公司（marginal firm）可以在邊際之內或邊際之外，分析的選擇要看是什麼問題，而處理是否到家有大人與小孩之別。

上述的競爭行為不是反托拉斯要反的。割價割進自己的直接成本，把你逐出市場後希望你永不回頭，然後加價提升自己的租值才是。説過了，直接成本不生產不需要支付，是另謀高就的代價，浪費了可惜。

黎智英的經典示範

當然，我們不能排除割價割到低於直接成本的行為，算是掠奪性減價，但是否為了要淘汰對手還是只希望打進市場呢？香港商人黎智英上世紀九十年代曾經兩次以低於直接成本的法門進攻：《蘋果日報》與“蘋果速銷”，相當經典，而據説後者一度成為哈佛大學的教材。

《蘋果日報》一九九五年六月發行，每份售價二港元，當時香港的類同報章售價五元。主要競爭者《東方日報》的回應有點遲，五個多月後才把價每份減到二元，其他報章也跟着減到同樣的價。這減價戰持續了大半年，之後回升，期間本來就虧蝕的《快報》和《香港聯合報》宣布結業。

二元一份之價大約是當時要付給發行及零售的直接成本，紙錢是三元以上，上頭成本不算，灰色地帶不論，加進必需的採訪、編輯、稿酬等費用，每份《蘋果日報》的直接成本應該在八元以上。賣二元，算是掠奪性的低價嗎？答案是不一定，因為有廣告收入。是的，讀者看廣告的眼睛時間是他們付的價，間接地由廣告客戶交給廣告商人交給《蘋果》。原則上這廣告收入加每份二元的報章價的總收入可以高過《蘋果》的總直接成本，因而賣二元不一定是"掠奪性"。但我不懷疑在出道初期，《蘋果日報》的總收入是低於總直接成本的。

為了爭取市場而先蝕頭注不是少見的商業行為，如果這些行為一律被認為是掠奪性減價，美國的反托拉斯法庭會忙得不可開交。我們知道《蘋果日報》後來是成功了，收入不僅高過直接成本，其上頭成本的租值可觀。然而，我們無從肯定這成功是源於長達近一年的大出血。黎智英認為讀報章的人有慣性，大減價一段時日是慣性的培養。說讀者慣性的爭取重要應該對，但從爭取租值收入的角度衡量，我們難以肯定大出血只幾個星期不是較佳的策略，或者智英老弟應該把出血的成本投資在增加報章的內容質量那方面。

互聯網惹來災難

說割價可以協助搶佔一部分市場是對的，而創業之際，把價割入直接成本不難明白。災難的出現，是一九九九年六月黎智英推出"蘋果速銷"，推行了十八個月，虧蝕近十億港元而慘淡收場。

沒有疑問，"蘋果速銷"這玩意是一刀切入直接成本，切得既深且久。沒有廣告收入，但有廣告支出。這速銷無疑是受到當時互聯網的瘋狂的影響，中計的不止黎智英一個，但他中得比較快比較大，說句老實話（智英老弟不要殺我），也比較精彩。

"蘋果速銷"憑互聯網銷售，用多部小型貨車，每輛兩個穿得整齊的員工，送貨。銷售的是超級市場出售的食品及一些日用品。黎智英是聰明人，不可能不知道以財雄勢大論英雄，他鬥不過惠康連鎖超市背後的怡和及百佳連鎖超市背後的李嘉誠。但他顯然認為，互聯網銷售是新奇的玩意，老前輩們可能忽略了，何況從網上接單然後送貨不需付香港的昂貴地鋪租金。搶先嘗試可能先拔頭籌。

兩家大連鎖超市急起應戰，也割價及設法約束批發商供應“蘋果速銷”。後者倒閉關門之後我才知道那兩家大連鎖超市其實也中了計。這是因為一位朋友提供的資料顯示，“蘋果速銷”的總收入上升與總虧蝕上升是成正比的——即是銷售金額上升百分之十虧蝕也上升百分之十，是直線一條，看不到彎曲！這是說，如果超市的老前輩當時大方一點，多把生意推到“蘋果速銷”那邊，後者會虧蝕較大，關門會因而較快。

為什麼“蘋果速銷”的銷量與虧蝕比率會是直線一條呢？有兩個原因。其一是送貨與管理的成本在貨價的比例上很高，其二是香港當時用互聯網的人不多，而更重要的是他們的地理分布過於零散。事後孔明，智英老弟當年對市場的調查是不夠詳盡深入了。“蘋果速銷”的做法要成功，市場要大得驚人才有機會。

割價割進上頭成本的租值是市場競爭的一般含意，但割進直接成本是無情的代價，銷量愈多虧蝕愈大。為了打進市場短暫的出血可以理解，但以本殺人於死地的掠奪性減價恐怕是某些人的想像玩意了。

雞蛋減價的故事

最後，我要重複二〇〇三年發表過的故事，是很久之前聽到的，應該是虛構，但有點真理吧：

一家賣雞蛋的商店，老闆財雄勢大，要把街上面對的另一家雞蛋商店殺下馬來，惟我獨尊，壟斷而後升價。老闆聽說對手本錢有限，於是把雞蛋大減價，低於成本出售，以本傷人，以為不數天對手就要關門了。殊不知蛋價一減再減，減了長時期，對手依然存在。最後大老闆因為減價太多太久而破了產。他禁不住跑到對手蛋店查問究竟："我的蛋店關門了，想不到你們的資本比我還雄厚，是從哪裡找那麼多錢跟着我減價呢？"對手聽得莫名其妙，回應道："我們本小利薄，雞蛋是從你們那裡買回來轉售的。"

第三節：拒絕與串謀

最近讀剛出版的《喬布斯傳》中可能是最精彩的把喬布斯與蓋茨相提並論的那一章，我想到美國反托拉斯的一個問題。蓋茨的微軟擁有獨步天下的某些軟件，喬布斯的蘋果電腦需要用，前者的重要性威脅着後者的前途。兩位大師是朋友，也敵對。多番談判的結果，蘋果終於獲得使用微軟某些重要軟件的權利。

我是軟件及數碼科技的門外漢，讀不懂他們爭吵的細節，但有點奇怪反托拉斯這一詞沒有提及。原則上，拒絕（foreclose）銷售給競爭者是違反反托拉斯法例的。問題是，只要價夠高沒有誰會拒絕銷售，而一個拒絕銷售的人可以憑價不夠高為藉口。何謂"合理"價格只有天曉得吧。

一九七六年，我接了兩件反托拉斯大案的顧問工作：美國電訊（AT and T）與加州標準石油（Standard Oil of California）。前者的總部在紐約，離我居住的西雅圖很遠，我只做了幾個月。後者的總部在舊金山，我時疏時密地做了六年，到我回港任職才終止。都是有名的大案，前者牽涉到拒絕，後者牽涉到串謀，剛好是我要在這裡討論的話題。以趣味排列，串謀高於拒絕也。

美國電訊的拒絕原因

美國電訊當年是一家很成功的企業，非常龐大，賺很多錢，科技了得，管理一流。無數市民當時持有美國電訊的股票，這企業的巨利是與股民分享的。當時有一句笑話，司法部以反托拉斯起訴美國電訊，法庭不容易找到足夠的沒有該企業股票的陪審員。

司法部起訴，要把美國電訊瓦解，“拒絕”是主要原因。這企業拒絕銷售他們產出的電話給任何外人，更遑論競爭者。他們的電話是租賃給用戶的。整份租用合約長達五百頁，存放在各市的總部，沒有顧客會讀。我認為只租而不賣給用戶是合理的。有兩點。其一美國電訊不想用戶把電話拆開作什麼研究；其二是當時長途電話收費高，他們不讓懂科技的把電話拆開，做些手腳，擾亂他們收費的方程式。

但美國電訊當時不賣電話給不用他們的線路的其他人比較難以辯護。不像早期萬國商業機器（IBM）的巨型電腦，只租不賣，因為有科技秘密要維護，只租可以禁止外人把電腦拆開。我當年的意識，是美國電訊不賣他們產出的電話給不用他們線路的外人，是因為他們佔有了市場的大部分，其他線路有其他電話，餘下來的市場很小，他們不做這小生意。

該反托拉斯案的主要麻煩，是美國電訊拒絕其他競爭者接入他們的線路。這裡牽涉到我在第三章第五節談到的地役權（easement）的問題，但美國電訊的立場是他們有權不協助競爭者。根據他們的典故，半導體（semi-conductor）是由他們的研發部門（Bell Lab）發明的。今天回顧這發明的價值不止連城，但政府當時不容許他們進軍電腦行業。憑半導體進軍電腦無疑是絕對優勢，但政府要他們放棄，換來是電訊的專利權。以為自己有這持久專利，所以在行為上拒絕協助競爭者。到了上世紀七十年代，電訊科技突飛猛進，政府以反托拉斯法例起訴美國電訊，否認答應過這專利的授予！美國電訊深入搜查自己的文件檔案，找不到有足夠的專利證據，是以為難。美國電訊終於跟司法部和解，以瓦解機構（divestiture）換取進軍電腦行業，後來產出的個人電腦鬥不過蘋果及無數的其他競爭者。

科技的突飛猛進是一個無情的故事。美國電訊曾經偉大，對人類的貢獻要叫我們站起來。但科技是年輕人的玩意，科技不同經營的手法有別，老一輩的應對不易，何況有政府的誤導。二〇一四年聽到美國製造攝影器材的柯達（Kodak）面臨破產。柯達也曾經偉大，但要被數碼科技淘汰。不知萬國商業機器的命運會如何？

串謀是真的嗎？

轉談串謀（conspiracy 或 collusion），通常是指串謀訂價，但有多種變化。變化多是因外人不知發生着的是些什麼事，只憑自己的觀察而妄作判斷。經濟學說的完善競爭有價格一致的效果，但價格一致可以被判為串謀的效應。另一方面，串謀既然是反托拉斯的大罪，美國的大機構出現過如下的例子。某職員跟另一家機構的職員是朋友，在來往的書信上一廂情願地說希望大家能聯手做一些事，其實沒有做，但這些信件可以被用作串謀的罪證。也有一些不滿意上頭對待的職員，或面臨解僱，可能刻意地在公司的檔案內留下一些彷彿是跟其他公司串謀的文件，嫁禍上頭。

其實在商業行為中，任何人要跟任何其他人串謀，明知是罪，可以容易地避免留下足以為罪的證據。上世紀五十年代，美國幾家石油公司被控串謀壓低購入價，辯方律師在法庭上有如下的精彩陳辭："法官大人呀，我們訂價是在會議洽商，燈火通明，有詳盡記錄，怎可以說是串謀呢？你聽過串謀是用白紙黑字寫下來的嗎？"

我要在這裡特別地介紹另一件反托拉斯大案，也是關於石油的。要特別介紹有兩個原因。其一是此案趣味性高，其二是此案的串謀重點或證據是一種稱為"斬三刀"的合約，而我剛好是這合約的主要調查研究者。說來也巧，"斬三刀"是我年輕時在香港熟知的一種價值最高的海魚。作為石油反托拉斯官司的重點合約稱 three-cut，直譯過來是斬三刀。

石油標價表的傾斜度闡釋

上世紀七十年代，美國加州政府以反托拉斯起訴七家石油公司，說他們串謀壓低重石油（heavy crude oil）的購買價格。這些石油公司在政府擁有的油田開採，也在私人擁有的油田開採，以他們標價的一個百分率乘以產油量交給油田的主人。控方沒有說加州的石油標價一律偏低，而是重石油之價偏低，而加州是多產重油的。

控方的主要證據有兩部分。其一是加州的石油標價表的傾斜度太高，與世界各地的傾斜度分離過甚。石油是以輕、重標價的，輕的價值較高，重的較低，因為汽車用的汽油是石油中較輕的那部分。石油在油田開採，不同深度的油井的重度不同——深的較輕。重度是以 API Gravity 量度，十度與水的重量相同。沙特阿拉伯產出的是輕石油，重度為 API 三十四。加州產出的有輕有重，不少是十六度，算是很重的。在加州，同一及鄰近油田有一個石油標價表（稱 posted prices，因為石油產出初期是以支柱示價，每桶四十二加侖算，因為當時以馬車運載，五十加侖的油桶，沒有蓋，路不平，油會濺出，只能容納大約四十二加侖)。

標價表以石油的輕、重算價，每桶算，也以油重的每度算。我參與研究的官司案發時，加州石油一般是每度相差六至七美仙，即是每高一度（輕一度）價高六至七美仙。當時美國中、南部的石油標價一般是每度僅兩仙，斜度遠為平坦。

回應政府起訴以石油的標價表斜度高為壓低重石油之採購價的證據，一些石油公司以加州的重油比率遠比美國其他地區為高作辯。我不那樣看，認為斜度不同是因為加州與其他地區的標價方法不同：加州以每個地區的油田算價，油井深淺之價列在同一標價表上，而其他地區則分地層標價。我從一家機構找到美國不同地區的數以千計的石油重量數據，以經濟理論及回歸統計分析，老師阿爾欽見而喜之，説沒有見過那麼巧妙的經濟實證研究。但標價表的斜度不是石油公司串謀的證據。

換油的原因

串謀的證據是第二部分，主要是石油公司之間的交換石油合約，其中前文提到的斬三刀合約是重心禍首。換油的行為全世界都有，但以斬三刀合約從事則是加州獨有的！世間獨有是大麻煩：為什麼他人不這樣做？不是你們刻意串謀是什麼？斬三刀合約是完全不用石油市價的！

為什麼石油公司之間要換油呢？他們競投石油的開採及以標價表的一個百分率購買的權利，在哪裡投得就在哪裡開採。石油在地下其儲存成本是零，但一旦開採出來，在地上的儲存成本甚高，以少存在地上為正着，所以石油在地下抽出，不停地操作重要，如果久不久要停產，次數多了地下壓力的減弱會導致油量流失。最上算的法門，是石油出土後不停地以油管輸到煉油廠，輸到汽油出售站，再輸到汽車的油箱去。這個石油出土後最好不停地流動的要求難度高，一家公司之內牽涉到多個部門處理，部門之間的職員互不相識，對彼此做什麼的細節毫不知情。是這樣的一個龐大而又複雜無比的工業，我到現場考查幾天後，第一時間的反應是串謀行動不可思議。

換油的原因，是甲公司在某油田開發得石油，但沒有輸油管送到自己的煉油廠去。乙公司剛好有輸油管在該油田，可以方便地煉甲公司的油，然後在其他油田把石油歸還給甲公司。這個為了節省運輸費用而換油的原因，看似道理明確，但要證實非常困難。這是因為換油一般不是甲給乙、乙給甲那麼簡單，而是多家石油公司把石油轉來轉去：甲給乙，乙給丙，丙給丁，往往轉了好幾重甲才能收回自己應得的油量。最終是否每家公司都節省了石油的運輸費用因而有個大問號。為此我在油田搜集了幾箱石油的流動票據（稱 run tickets）。這些票據是每次地下出油輸到哪裡及油量多少，都在油井的出口處打出一張票據説明。石油公司出錢給我聘請助手，花了幾個星期作拼圖遊戲，一路跟蹤，最後是明確地證實運輸費用是節省了。

斬三刀的解釋

石油公司之間為了節省運費而換油，有時用標價表算價格的差距，但在加州主要是用斬三刀合約，尤其是大公司與大公司之間的換油交易。把石油的小量樣本加熱到華氏四百度是第一刀，蒸發出來的那部分是汽車用油。從四百到五百五十度是第二刀，蒸發出來的那部分是柴油。華氏五百五十以上的是第三刀，蒸發出來的那部分是洋船用油。輕油是第一刀的分量比較多，而重油當然是第三刀的分量比較多了。以斬三刀量度比以 gravity（重量）量度精確，雖然量度費用比較高（gravity 的量度費用近於零）。我給你一萬桶油，其中斬三刀的油量每刀為幾，你要把這三刀的比率及油量歸還給我。不需要在短期內結算，你欠我哪一刀的油量，我欠你哪一刀的油量，可能互相拖欠一段長時期，但因為換油的公司串連起來有好幾家，怎樣結算總有足夠的不同重量的石油足以解拆互相所欠。但這樣的做法細小的石油公司是沒有足夠的石油變化量來參與斬三刀的換油交易的。從反托拉斯的角度看，小公司不能參與斬三刀，大公司當然是罪加一等了。

我對採用斬三刀換油合約的解釋，是參與的公司完全不需要議價。中東石油之價有變，加州的石油標價表會跟着變，但後者的變動可不是自動或即時的。考慮總要一點時間，但石油的流動卻不能停頓，以斬三刀的合約處理是石油繼續流動的保障，何串謀之有哉？但控方說不用市價是串謀隱瞞價格的證據。

上述的斬三刀成為典故，是源於加州政府以反托拉斯法例起訴以加州標準石油為首的七間石油公司。我作加州標準的顧問是一九七六到一九八二回港任教職為止。這顧問工作是調查研究石油標價表的訂價與換油合約的安排，要什麼資料加州標準皆全力協助，沒有半點隱瞞，加上有助手費用的資助，我寫下了兩份厚厚的研究報告，一些石油行內的朋友稱之為《聖經》，可惜是賣斷了，作者沒有發表權利。然而，今天回顧，那幾年的調查研究牽涉到可能是世界上最複雜的工業，獲得的資料不僅詳盡而且可靠，使我對市場與合約結構的認識更上一層樓，讓我後來在經濟學走進了自己獨有的天地。作為學者那算是奇遇了。

回港後我聽到該官司的結果，是加州標準先勝一仗，其後對方上訴反勝，再其後的大概是，七家石油公司有六家妥協和解，即是要賠錢。最後一家是埃克森（Exxon）石油，不妥協，打到底，到一九九二年四月，經過七十五天的審訊，六十多個證人，三千多份文件，陪審團研討了八天，終於判埃克森勝。

第四節：結語

有如下的一個真實故事。美國某反托拉斯案，辯方律師向法官要求休假，因為他的太太要生孩子。若干年後，同一律師向同一法官要求再休假，因為律師的兒子生了孩子，有親友慶祝之盛。法官批准，但說道："我希望你的孫兒生孩子時，這案件已經完結了。"

反托拉斯案件以持久鬥法知名，官司只打幾年算是罕有，打數十年不奇怪。費用奇高：我知道上世紀七十年代一件大案，辯方準備以十億美元對抗。那是四十年前的十億美元。我也知道有些反托拉斯官司，辯方希望打到美國政府更換黨派而有轉機。

法例模糊不清，加上牽涉到的銀碼龐大，應該是官司打得時間長、費用高的根源。有誰得益呢？律師與作為顧問的經濟學者有明顯的收入增加，政治人物或可增加一點政治本錢。但永遠是以維護消費者掛帥的反托拉斯，消費者怎樣了？我深知的加州標準大案，消費者獲得的是負值：加州的石油產品沒有因為這官司而減過一分錢，但官司的費用早晚要間接地由消費者支付。美國電訊的反托拉斯官司對消費者又怎樣了？長途電話費用跟着的急速下降，有人認為是美國電訊瓦解的貢獻。然而，剛好在那時，手提電話開始盛行，跟着數碼科技當道，舉世的訊息傳播費用插水式下跌。美國電訊有沒有瓦解也會這樣跌，但我不能排除該瓦解促使電話費用跌得早一點。問題仍在：為什麼司法部當年不容許美國電訊進軍電腦行業呢？

參考文獻

G. W. Hilton, "Tying Sales and Full-Line Forcing," *Weltwirtschaftliches Archiv*, 1958.

J. S. McGee, "Predatory Price Cutting: The Standard Oil (N. J.) Case," *Journal of Law & Economics*, 1958.

L. G. Telser, "Why Should Manufacturers Want Fair Trade? " *Journal of Law & Economics*, 1960.

R. H. Bork, *The Antitrust Paradox: A Policy at War with Itself*. Basic Books, 1978.

S. N. S. Cheung, *Crude Oil Exchange – the Economics of Secondary Transactions*. Unpublished Manuscript, 1978.

S. N. S. Cheung, "Property Rights in Trade Secrets," *Economic Inquiry*, 1982.

S. N. S. Cheung, "Commodity Futures: On the Distinction between Commodity Exchange and Crude Oil Exchange," *Economic Explanation: Selected Papers of Steven N. S. Cheung*, 2005.

經濟學者假設的公司或工廠可能要到火星去找。這假設對某些問題可以接受，但要解釋死三角的存在與教怎樣改進社會是開玩笑了。根本沒有病，經濟學者胡亂下藥作什麼？

第六章：成本定律、覓價行為與擠迫理論

覓價（price searching）是指一個出售者所訂的價不是由市場決定，而是由出售者或買賣雙方決定，所以要覓價。減價賣得多一點，升價賣得少一點，含意着出售者面對的需求曲線是向右下傾斜的。絕大多數的市場是這樣。反過來，受價（price taking）是指出售者面對的需求曲線是平線一條，按此價他可以無限量地銷售，把價提升少許他一點也賣不出去。在真實的世界，除了期貨市場或農產品市場，受價的行為不普及。

覓價是因為出售者面對的需求曲線向右下傾斜，他要決定售價，不能不覓。經濟學是以出售者面對向右下傾斜的需求曲線來界定壟斷的：這門學問提不出更為可取的壟斷定義。壟斷不表示沒有競爭，只是程度不同。我們這裡關注的是面對向右下傾斜的需求曲線，一個產出銷售者會怎樣選擇訂價與產量。不是問應該怎樣，而是問會怎樣。

覓價分析麻煩有趣

西方的經濟學者要不是對市場認識不足，就是認識的市場變化不多。一九六四年我向老師阿爾欽提出在香港某些小街上，眾多小販攤子出售相近甚至相同的物品，但出售者不斷地跟顧客討價還價。阿師有點不相信，跟我研討了好些時日。銷

售同樣物品，在同一市場的激烈競爭下出現討價還價的行為，我想了三十年才找到解釋。這是本卷第八章的話題。

討價還價含意着出售者面對的需求曲線是向右下傾斜的。競爭者無數，這出售者算是個壟斷者嗎？可以算是，因為他面對的顧客被訊息費用左右着，不知道其他出售同樣物品的最低售價為何。討價還價當然是覓價，出售者與購買者皆覓。結果是同樣物品，不同的購買者往往付出不同的價。屬價格分歧。

解釋覓價的行為或現象是經濟學比較麻煩的部分，從這裡開始我分三章處理。不容易，但有趣，也示範着經濟理論的解釋力。牽涉到的理論不深，但概念要掌握得好。傳統的分析不着重真實世界的考查，因而漠視了理論與概念的變化。這不幸的發展源自我歷來佩服的馬歇爾傳統。馬前輩對概念的掌握弱於他推理的超凡本領，而後來的人把他的理論簡化錯了。

第一節：馬歇爾的失誤

從重視真實世界的經濟學那方面衡量，馬歇爾是古往今來天賦最高的理論家。高不可攀，他跑了幾年工廠才動筆寫他的《經濟學原理》。百多年前跑廠應該沒有我們今天那麼方便，變化不像今天那麼多，而更重要是馬氏忽略了工業的合約結構。解釋覓價的行為，牽涉到的理論當然離不開需求與供應，前者重要的是需求定律，後者重要的是成本概念。馬歇爾在這兩方面都作出了重要的貢獻，但也混雜着重要的失誤。

在需求那方面，彈性係數是馬氏的發明。雖然消費者盈餘不是他首先提出，卻是由他定其名而加以發揚。彈性係數對解釋行為的用場不大，但消費者盈餘則非常重要。馬氏不重視後者的解釋用場，而他的學生庇古對解釋行為沒有興趣，把消費者盈餘帶到福利經濟那邊去。

吉芬物品否決定律

馬歇爾處理需求的最大失誤，是在他的一八九五年《經濟學原理》的第三版引進了吉芬物品。這引進否決了需求定律！嚴格地說，沒有這定律經濟理論無從推出可以驗證的假說。馬氏重視經濟解釋，深知科學不容許以事實解釋事實。他是科學方法走在前頭的其中一個重要人物，但要數十年後西方才發展好我信奉的科學方法：解釋行為要有可能被事實推翻的假說——不可能被推翻是無從驗證的。吉芬物品的存在——即是需求曲線可以向右上升——使我們無從肯定物價之變人的行為會跟着怎樣變，因而沒有可以驗證的假說。我知道吉芬物品今天的經濟學課程還在教，但那不是教經濟解釋。我也知道近二十年有了些新潮的科學方法，算不上是什麼貢獻，因為驗證假說還是基本的要求。

在卷一《科學說需求》我對需求定律的各方面作了詳盡的解釋，但怎樣用則要練習得很熟，熟能生巧也。從《經濟解釋》的卷一到卷五我都示範怎樣用，而示範得最多是本卷。我說過，不可或缺的經濟理論只有需求定律，把這定律用出變化是解釋行為的主要法門。

經濟學難在掌握概念

轉到供應那方面，主要的理論是邊際產量下降定律，由馬歇爾高舉的范杜能（von Thünen, 1783-1850）首先提出。這定律可用成本的變化取代（見《收入與成本》第六章）。供應的重心所在，是成本概念的變化與掌握。凱恩斯曾經說經濟是淺學問，但有大成的人甚少。這看法應該對。但凱氏認為經濟學要有大成需要多方面的學問集於一身，不一定對。我認為經濟學之難，是難在成本概念及也屬成本的租值概念的掌握，而交易或制度費用也屬成本。換言之，經濟解釋的困難主要是局限變化的處理。

偉大如馬歇爾，我認為他對概念的掌握是較弱的。尤其是成本的概念，馬前輩的掌握不到家。不容易明白為何這樣。直接成本、上頭成本（他也稱間接成本）、準租值（quasi-rent，可簡稱租值），基本上來自馬氏的創意，但他自己掌握得不夠好。

今天同學們背得出的成本（指機會成本）定義，馬歇爾奇怪地沒有掌握得好，屢有失誤。成本是最高的代價，經濟學鼻祖斯密知道，跟着李嘉圖提出的比較優勢定理清楚地以邏輯證實，但李氏本人在應用上也常有失誤。跟着的密爾用得對，再跟着馬歇爾則用得不對。不是簡單的發展。我在上世紀六十年代初期猛攻時，那所謂機會成本只限於那條“生產可能曲線”的闡釋。後來反覆重讀阿爾欽、弗里德曼與科斯這三位的作品我才對成本概念的掌握開始有舒適感，但還要過若干年，等到每次看成本皆向前看，等到懂得處理租值消散，才感到真的舒適。歷史成本不是成本，所以成本永遠要向前看，本科早就教了，但運用起來懂得貫徹地這樣看的鳳毛麟角。同學們要記住，一秒鐘之前的選擇也是歷史，覆水難收的支出，不管多大再不是成本。

天才思想用得不對

馬歇爾對成本概念掌握不足惹來不少麻煩。那所謂準租值（quasi-rent）是他首先提出的，無疑是天才之筆，可以簡稱租值。上頭成本（overhead cost）他又稱間接成本（indirect cost）也由他提出，也屬天才。可惜馬前輩當年因為概念的掌握不足，不知道他說的準租值或租值與他說的上頭成本是同一回事。不是淺話題：二〇〇一年我發表《上頭成本與租值攤分》(見《供應的行為》舊版第三章第四節)，懂經濟學的朋友讀到皆站起來。然而，我知道問題還沒有圓滿地解決，因為"灰色地帶"還沒有處理好。這灰色地帶可以很小或很大，是由什麼因素決定的呢？這問題我一拖再拖，不斷推遲，拖到今天，走投無路，於是決定在本章第二節以《合約結構主宰成本定律》為題處理。

另一個麻煩，是馬歇爾提出長線與短線的分割處理。把不同的因素或變量分割開來，讓某些變某些不變，可以示範每項轉變帶來的效果，作為一個分析的步驟有其可取之處。但這樣處理是數樹木而不看森林。解釋現象要問為什麼某些量變某些量不變。受到馬氏的影響，經濟學的發展提出了好幾項長線與短線的分析，科斯與阿爾欽等人皆認為這些發展對公司理論(theory of the firm，其實是分析市場，不是分析公司的性質)有災難性的影響。

避開交易費用的麻煩

我認為馬歇爾提出長線、短線的分析是有着一個不言自明的含意：他要避開處理交易或訊息費用這些局限。他沒有說明，但顯然認為某些調整短線有困難，長線則沒有，其含意是短線調整會較為容易地受到交易或訊息費用的左右。避開處理交易費用帶來的麻煩比當年馬氏想像的嚴重得多。交易費用(也是成本)是很難處理的局限。科斯一九三七年提出時沒有幾個人重視，或認為是套套邏輯。經濟學者重視交易費用是上世紀六十年代初期開始的。這轉變今天被稱為"新制度經濟學"，是跟馬歇爾傳統的新古典經濟學的主要分離。很不幸，因為交易費用的處理不易，演變出來的是卸責、恐嚇、勒索等無從驗證的假說，而最盛行的是博弈理論，皆無從驗證。

回頭說生產成本這個重要話題，馬歇爾之後成本曲線也有長線與短線之分，也屬災難，而更頭痛是好些課本把馬氏的上頭成本處理為固定成本，直接成本處理為可變成本——真的弄得一團糟了。同學們要記住：成本永遠要向前看，計劃產出什麼，量為何，要多快，用哪種方法，各有各的成本，沒有什麼長線短線的。也要記住，那所謂上頭成本是由市場決定的租值，而直接成本是不產出不需要支付的。我在卷二處理過，本章第二節會再處理，但集中在上頭成本的"灰色地帶"。

漠視交易費用帶來的困難不少，而或明或暗地假設交易費用是零帶來的困難更多。馬歇爾的傳統有產品市場與生產要素市場之分。如果交易費用是零（馬氏沒有說明），這兩個市場不可能分開，而我在一九八二年指出如果所有交易費用真的是零不會有市場。以一般均衡分析知名天下的瓦爾拉斯（L. Walras, 1834-1910）以N種產品及N減一的相對價格為分析的起點。如果交易費用是零（瓦氏說明是零），品種之數（N）無從決定。一子錯，滿盤皆落索！

我還是拜服馬歇爾。他跑廠的經驗讓他的作品有真實世界的內容，而上蒼賜予他的天賦使他創立的理論架構既完整又清晰，當年我讀來彷彿拿着一件實物在手，看得到，摸得着，因而後來可以逐步改進。一九六一年我開始讀馬歇爾，因為父親的事業，我是在商店與工廠的環境中長大的。

第二節：合約結構主宰成本定律

掌握經濟學概念的困難源於變化多。這些概念是從人類的行為規律演變出來的。概念的變化是複雜理論的替代。概念變化少要多用複雜的理論；概念變化多理論可以大手地簡化。我選走後者的路，認為複雜的理論對解釋行為很困難。

作研究生時我學過不少複雜的理論。後來為人師表，在研究院教理論時，那些沒有什麼解釋用場的複雜理論可以應酬學生的提問。然而，回顧經濟學的發展，有解釋力的作品永遠是那些能把簡單理論用出變化的。說簡單理論用出變化其實是說概念用出變化。概念的變化可以很複雜。世界本來就複雜。基於複雜世事的觀察，以簡單理論處理，概念的複雜變化無可避免。我們只希望能把概念的複雜變化再簡化。

成本與租值的另一個分別

論到經濟概念的變化，最複雜莫如成本，尤其是要加進也算是成本的租值、租值消散、交易費用等。這些方面我在《收入與成本》花了不少筆墨，還要繼續補充。這裡我要再說關於成本與租值的不同看法：成本的變動決定行為，而租值的變動是被行為決定的。二者之間有灰色地帶，跟合約的選擇有關，也要看我們需要處理的是些什麼問題。

馬歇爾提出上頭成本（overhead cost，他又稱間接成本）與直接成本的分別，很有意思。跟馬前輩有別，我把上頭成本闡釋為覆水難收的投資或簽了不能反悔的合約，但因為競爭者要參進也面對類同的局限，覆水難收的投資會帶來一種租值收入，由市場釐定，也由市場保護。這租值是上頭成本，其所值跟覆水難收的投資不一樣，可以較高或較低，也可以是零。租值可以作為成本看，因為入了局的人可以把生意賣出去，有這機會的選擇。這些我解釋過了。

馬歇爾提出的直接成本，是不生產不需要支付的。應該對。不生產不需要支付的直接成本帶來的一個含意，是面對需求這種成本決定是否要生產及產出之量為何。除非是為了賣廣告，或應酬，或樂善好施，或預期看好，市價低於直接成本從事的人是不會生產的。直接成本於是成為這裡要說的非租值成本，決定行為而不是被行為決定。

直接成本的定律

我要在這裡提出一個定律，稱“成本定律”，是只為直接成本而用的。這定律說，直接成本是按量度產量而支付的費用。無論是以時間算工資，以件工算工資，以分成算工資，凡是直接或間接以產品的量算成本的，皆直接成本。租用機械或廠房，只要可以算出有關的產量，而不產出不需要支付，這租金也是直接成本。為什麼我要用上“定律”這樣隆重其事呢？因為這定律可以方便地帶到合約結構那方面去！不是定義，而是定律。有兩個理由。其一是定義不可能錯，但定律則可能錯，所以有解釋力。其二是這個看似簡單的“成本定律”有不少變化，可以推得很遠。

同學應該記得，我在《經濟解釋》舊版提出過的“履行定律”跟這裡提出的“成本定律”有相同之處。履行定律說凡是量度而作價的特質，提供服務者履行合約的意向增加，使監管費用減少。換言之，卸責或瞞騙的行為主要出現在沒有量度作價的特質上。履行定律與本節提出的成本定律的用處不同。相同的是量度與作價的關係。在經濟學這關係到處都重要，好比在價格分歧、捆綁銷售等話題上，傳統的錯誤分析往往錯在這關係處理失當。是後話。(這裡，同學們不妨重溫《科學說需求》第五章第七節《何謂量？》。)

購買廠房與件工合約的例子

讓我從曾經說過的說起吧。還未入局，考慮投資設廠，購置廠房等投資是直接成本。作這考慮時你一定盤算過要產出什麼及產量的大概是多少。這樣，你是按量度產量而支付購買廠房等投資，沒有違反我提出的成本定律。

現在假設你下了注，投資購買了一間小廠房，付清了賬，只產出一種產品，只訂一個出售價。讓我再假設你以件工聘請工人，即是工資以每件產品算。廠房、水、電、材料等皆由你提供。這裡，廠房的投資再不是你的直接成本。你不是把廠房租回來，也不打算租出或賣出去。只為自用生產，廠房本身的市價變動不會影響你的直接成本。但其他費用如水、電、材料、工資等是你的直接成本。產品每件算工資，當然是按產量支付。材料的成本也是按產量支付。至於水與電，是按水表與電表支付，而產量如何水與電的費用會如何你心裡有數。這是說，工資、材料、水、電等皆按產量支付費用，皆直接成本，而這些生產要素的相對價格怎樣變它們的組合會跟着怎樣變，課本有教，這裡從略了。

覓價與受價之別

這裡關注的，是所有直接成本的合併會算出一件產品的直接平均成本與產量變動的邊際成本。如果生產率增加或廠房出現擠迫，邊際成本會上升。你是個覓價者，面對向右下傾斜的需求曲線，爭取財富或租值極大化你的產量是邊際成本等於邊際收入。因為邊際成本在出售價之下，會出現一個所謂無效率的“死三角”。但售價會在平均成本之上，得到的差距總和是租值的回報，也即是廠房所獲的租值，上頭成本是也。如果你從事這項生產有過人之處，或是什麼名牌寶號，還有另一些租值要加上去。換言之，租值是由市場決定的，把生意出售可獲租值的折現，但產量多少，賣何價，則由直接成本及市場需求決定。還有一個重點，因為租值是上文説過的（機會）成本，而出售之價包括這租值的折現，所以價為何，包括租值的平均成本就為何——你面對的向右下傾斜的需求曲線就是你的平均成本曲線，也即是平均收入與平均成本相同。不是我的發明，是弗里德曼先説的。要補充：假設產品只賣一個價。

如果你是個受價者，面對的需求曲線是平線一條，上述的租值算法沒有變，只是賣價不由你決定。因為你面對的邊際收入曲線也是平線一條，跟面對的需求曲線一樣，你的產量會較高。邊際成本等於邊際收入的均衡點是提升了產量，死三角不復存在。這是傳統的完善競爭增加經濟效率的看法。接下來第三節可見，面對向右下傾斜的需求曲線的覓價行為，死三角的出現是限於一種產品只賣一個價與不約束顧客購買量的均衡效果。這裡也要補充：受價者面對的需求是平線一條，課本教包括租值的平均成本曲線是碗形，是從碗形的直接平均成本曲線直加上去。其實也是價為何包括租值的平均成本也為何，有關的只是一點。

轉換合約直接成本會變

現在讓我轉到一些變化去吧。如果上述的廠房你不是買下來，而是租下來，每天算租金，隨時可以遷出，那麼你會以每天的產量來打你的租金算盤。這廠房租金於是成為你的直接成本。加上水、電、材料、工資等，你的產品的直接平均成本曲線會上升。在一般情況下，雖然加進租金直接平均成本曲線會移動上升，但邊際成本曲線不會移動，所以產量與售價也跟着不變。會變的是你自己的租值或上頭成本：會下降。

我說在一般情況下你的邊際成本不會變，是因為你要付的廠房租金沒有跟着你的產量變動而變。這後者的變動是可能的，所以把廠房的上頭成本改為每天算租金的直接成本，你的產量與售價有變動的可能。機會不大，因為租廠房給你的業主通常不會管你的產量變動。如果業主知道你的生意好，加租，你接受，這也只會使你的直接平均成本曲線移動上升，不會影響你的邊際成本曲線。

合約選擇與成本定律的關係

不管怎樣說，如果一個生產者的所有成本都是直接的，都是按着產量來支付費用，決定價格及產量一般而言會較為精確。問題是交易（包括訊息）費用會增加。你買廠房，不租，是為了增加一點穩定性。你要求長期租約，不要每天算，理由也類同。租廠房給你的業主也有你隨時不交租的顧忌。選擇以哪種合約安排來處理你的生產活動，交易或訊息費用是重要的考慮。合約選擇，經濟學的分析困難永遠是交易費用帶來的麻煩。說這是因為交易費用，那是因為交易費用，會容易地走進套套邏輯的框框去，即是說了等於沒有說。處理不易，但可以處理——這是卷四《合約的一般理論》的話題了。

上述的重點，是合約的結構有變上頭成本與直接成本的分配會跟着變。我提出的成本定律的主要用場，是照亮着一條路，教我們怎樣看生產的合約結構的變化。這變化要從租值與直接成本之間的替代看：這樣安排是量度產量算成本，那樣安排上頭成本由市場決定。有市場重要，分受價與覓價，產量為何由直接成本決定，而直接成本是由合約結構主宰着的。換言之，要明白市場的運作，依照我提出的成本定律，重要的一步是問費用的支付是否按產量算。

轉移算價怎樣看

讓我在這裡向旁走一步，先談另一個有關的話題。那是轉移算價（transfer pricing），很多大機構採用，尤其是西方的。轉移算價是指同一機構之內（或母子公司之間），不同部門使用機構提供的物資的調動要算量與價。例如甲部門多用樓房面積要多算租金，乙部門用少了面積要減租金。機構提供的筆、墨、紙張等，每個部門要記錄下來，算價。部門各自的工資當然更要算了。這些是一家機構或公司之內每個部門算所用的物資或場地之價，會計部有清楚的記錄，而會計部本身用了些什麼也要算。這些算價不是算機構產出的物品之價，而是算機構之內不同部門的物資使用的量與價，所以稱為轉移算價。甲部門要求多點樓房面積嗎？可以，但要加租金，而乙部門少了面積當然要減租金了。你要多用一張紙，我比你少用一張，大家算清楚吧。

有趣，但為什麼要這樣做呢？有時機構只有一個大老闆，為什麼還要這樣算？解釋有三，應該是三者的合併吧。其一是在年尾分紅時，不同部門的貢獻要看他們各自使用物資的支出，濫用的行為於是受到約束與監管。其二是不同部門各自算清楚，機構的運作增加了訊息，例如機構要增產或削減開支，不同部門要怎樣調整有了依憑。最重要可能是第三點：上頭成本的租值由市場決定，機構老闆不能不接受，但這租值提供的訊息沒有直接成本那樣清晰明確。清晰的成本有助生意決策，所以老闆要以“轉移算價”來看看如果上頭成本是直接成本他應該怎麼辦。這樣看，轉移算價是假設的直接成本了。

沒有灰色地帶的兩端

讓我轉到上頭成本與直接成本之間的灰色地帶吧。先從兩個沒有灰色的極端看：上頭是上頭，直接是直接，沒有問號。第一個極端起於交易費用的阻礙性太強，合約的安排無從以產量算支出。有共用品性質的資源是好例子。一家公司的名牌寶號可以很值錢，往往是曾經花了龐大投資才獲取的租值，但擁有者無從按產量算使用寶號的費用。發明專利或商業秘密，雖然租用合約不易處理，但存在，你按產量租用是你的直接成本。如果秘密或專利是你自己擁有，因為是共用品性質你無從計算每件產品的費用為何。自己擁有，自己使用，有共用品性質的資產帶來的租值是上頭成本，沒有灰色地帶。(關於共用品，同學們要讀《科學說需求》的第八章。)

另一個極端，是上文提到的以件工算工資，是直接成本無疑問，沒有灰色地帶。分紅或分成合約也可以從量的變動看直接成本的變動，也無疑問。這裡有一個麻煩：分成如果沒有其他約束會出現抽稅帶來的效果，所以分成合約的結構會比件工合約來得複雜。這裡同學們要讀我一九六八年發表的《佃農理論》。

兩端之間可有灰色

在上述的兩個極端之間，灰色地帶是比較容易出現了。例如以時間算工資，不是每天算的短約而是一年的長約，灰色地帶容易出現。有兩個原因。其一是量度時間只是一個委託的量，不是產品本身，監管產量有較大的困難（見一九八三年拙作《公司的合約性質》）。其二是時間工資合約為期愈長，生意的變化帶來的產量上落可以很大。你聘請了一位經理，約定了年薪，每月發工資，生意大跌你怎麼辦？你可以毀約打官司，可以關門說破產，但也可能期待生意有轉機，守得雲開見月明。跟聘請的經理說明生意好有分紅，所以工資調低一點有助。但除此之外，生意下跌，你不關門，不毀約，你發給經理的工資要切進上頭成本的租值去。你希望生意有轉機，這租值下降至負值你可能還要堅守。這裡的問題是在好些情況下，你發給該經理的工資再不能以產量算——委託之量也不能——不是直接成本，而是上頭成本的租值下降。這租值下降至零甚至負值，你還因為預期可有轉機而繼續支付工資，可以關門但不關，是賭博。我曾經讀到的統計數字說，這種賭博勝出的或然率不高。

結語

灰色地帶惹來的麻煩，是在好些情況下我們難以判斷只能由直接成本決定的邊際成本為何。這判斷是解釋生產與覓價行為的一個重要部分。做生意的人可能不知道，而假設他們知道雖然有科學方法論的支持，但經濟學者歷來沒有說明他們假設的是什麼。漠視交易費用是災難，假設交易費用是零也是災難。

本節提出的成本定律教我們怎樣看問題，同時指出，合約結構的安排有變成本的性質會跟着變。直接成本是否清晰有時重要有時不重要。還有的是，不管是覓價還是受價，只要市場有競爭，合約的選擇夠自由，生產者是否知道邊際成本何物可以是無關宏旨的：只要競爭市場有選擇合約的自由，懂得數鈔票，左嘗試右嘗試，生意亂做一通不會是大錯。合約的自由選擇對經濟運作重要，一九六六年構思佃農理論時我已經看得清楚。可惜到今天經濟學者還漠視合約的分析。

經濟學者要解釋做生意的人的行為，做生意的人聽到經濟學者的解釋以為是發神經。這是經濟學者的咎由自取了。經濟學者通常不懂生意之道。不需要懂，但為了研究，我曾涉及的生意有多種，因而深信經濟學可以解釋商人的行為。我不是懂生意之道，而是知道市場發生着些什麼事。說什麼邊際成本等於邊際收入，商人聽來哈哈大笑。他們笑經濟學者不知世事。我認為那是起於經濟學者不從觀察世事作為起點才用他們的理論及概念作解釋，然後推出驗證假說。

我希望從這節同學們可以知道，邊際分析要用得有彈性，要懂得怎樣容許灰色地帶的存在，也要知道做生意的人在灰色地帶的選擇往往舉棋不定，有些是獨行俠，可以一博，有些家中有孩子要照顧，認為博不過。知道局限及其轉變，經濟學推斷人類行為的準確性與牛頓推斷蘋果會掉到地上的準確性是一致的。

灰色地帶有灰色地帶的處理方法，跟沒有灰色地帶的處理方法不同。不知世事，以為沒有灰色地帶，是怪不得做生意的人嘲笑經濟學者的。

第三節：榨取盈餘提升效率

依照傳統的分析，一個壟斷覓價者面對的向右下傾斜的市場需求曲線是他的平均收入曲線。假設沒有上節提到的灰色地帶，清晰的邊際成本曲線自下而上，在平均收入曲線之下與邊際收入曲線相交。這是均衡點，產量與售價這樣決定含意着覓價者的租值極大化，也是財富極大化。售價是在上述二線相交之上遇到需求曲線的地方，也即是售價等於產品的平均收入。這分析只有一種產品，賣一個價，而任何價消費者可以隨意購買多少。另一方面，作為平均收入的需求曲線是消費或需求者的邊際用值曲線，即是說，售價是消費者願意付出的最高邊際用值。

無效率的傳統闡釋

依照這分析，邊際用值等於價，但因為需求曲線向右下傾斜，這個價是高於邊際成本與邊際收入的相交點。從社會的角度看，邊際成本是社會要放棄資源來產出多一點的代價，而邊際用值是消費者願意付出購買多一點的最高所值。邊際用值高於邊際成本，增加產量社會得益，因為消費者願意付出的價高於產出多一點的代價。然而，一個壟斷者面對向右下傾斜的需求曲線，價等於邊際用值但高於邊際成本，是浪費。如果增加產量，邊際用值會下降，邊際成本會上升。社會的最高利益是產量增加到邊際用值等於邊際成本。這跟完善競爭或受價的理想世界相同，因為受價出售者面對的需求曲線是平線，與邊際收入曲線相同，等於價，產出的邊際成本等於邊際收入也等於邊際用值。受價的均衡點因而達到社會利益的最高處。

在資源的使用上，競爭受價與壟斷覓價對社會的貢獻因而有別。覓價，邊際用值高於邊際成本；受價，邊際用值等於邊際成本。從前者到後者之間，邊際用值高於邊際成本那部分，逐步收窄到邊際用值等於邊際成本時，在幾何曲線上會出現一個三角形的社會浪費所值，薩繆爾森稱之為 deadweight loss，我譯為“死三角”。這是壟斷覓價歷來受到經濟學者詛咒的原因，而剷除這死三角是福利經濟學的重心所在。

雖然“死三角”一詞是薩繆爾森起的，分析“三角”的天下第一高人是我的好友哈伯格。源自劍橋的馬歇爾，發揚推廣是劍橋的庇古與魯賓遜夫人。上世紀三十年代倫敦經濟學院崛起，帶來死三角的另一個熱鬧——邊際成本低於平均成本的爭議——我在本卷第三章第五節處理過了。今天老人家回頭看，跑廠跑市多年，發覺前輩之見屬紙上談兵，因為在很多情況下，邏輯上，邊際成本曲線畫不出來！這是本章與下章幾次提到的話題了。

有利不圖不成理

這裡先說一個大麻煩。死三角的出現是因為邊際用值高於邊際成本，而增產逐步收窄至二者相等的三角總和是增產對社會的貢獻，但壟斷者可沒有增產，於是浪費了。問題是，如果增產消除了這死三角，壟斷者與消費者可以分享這死三角的利益，為什麼他們不這樣做呢？奇怪經濟學者很少注意到這個尷尬的問題。有時我的感受是他們希望社會無效率，正如某些無良醫生希望多人生病，好叫自己能多賺點錢。據說醫生亂開藥方的不少——經濟學者也如是吧。

為什麼大家有利可圖而不圖呢？說因為有交易費用，那當然，但沒有交易費用連市場也沒有。是什麼交易費用促成上述死三角的存在呢？同學們想不出答案不要難過，因為經濟學教授也想不出。我自己的答案，是除非政府諸多管制，上述的死三角根本不存在。

消費者盈餘的解釋用場

這裡我要引進消費者盈餘（consumer's surplus）這個概念，在《科學說需求》第五章第八節我提供了三個看法不同但其實一樣的定義。

簡單地說，這盈餘是決定了購買量，消費者願意付出的最高用值與他需要付出之價的差別。好比你口渴得要命，最高願意出一千元喝一瓶水，但在競爭市場五角錢可以買到，二者的差額就是你的消費者盈餘了。你的需求曲線向右下傾斜，是你的邊際用值曲線。物品賣一個價，你需求最後的量是價等於你的邊際用值。在此價之上與需求曲線之下有另一個三角，那是你的消費者盈餘，因為你願意付出這盈餘三角之所值，但不需要付。出售者如果有壟斷權利，當然希望能榨取這個你願意付出的三角盈餘，要怎麼辦呢？

讓我假設你是市場的代表人物，很多個你的需求曲線向右橫加就是市場的需求曲線。這樣，處理你跟處理市場的方法一樣。界定你的消費盈餘三角的需求曲線是你的邊際用值曲線。

你的平均用值曲線是在這邊際用值曲線之上，二者的關係跟平均收入與邊際收入的關係相同。如果出售者要以你的平均用值訂價，高於你的邊際用值，你按此價購買之量不會是你平均用值之量，而是價等於你邊際用值之量，你還會有消費者盈餘。即是說，八個蘋果你的最高平均用值是五元一個，但訂價五元你只會買三個（五元是你的邊際用值），有消費者盈餘。但如果壟斷出售者知道，他會訂價五元一個，硬性規定你一定要買八個，否則一個也不賣。這樣，你的消費者盈餘會全被榨取了。用這種"全部或零"的榨取消費者盈餘的方法出售，出售者的最高利益是產出的邊際成本等於你的邊際用值，死三角消失。

因為我發覺內地的同學奇怪地沒有學過"全部或零"這條需求曲線（其實西方也少教，但昔日香港的中學高考生應該熟識，因為他們的老師曾經是我的學生），我要再解釋一次。同學們知道的需求曲線是消費者的邊際用值曲線，也是出售者的平均收入曲線，是每價任由消費者購買多少的。售價之上與這需求曲線之下的三角面積是消費者盈餘。假設我是壟斷覓價者，要榨取你的消費者盈餘，一個方法是沿着你的需求曲線（也是你的邊際用值曲線）每量收不同的價，從高價逐量把價下調。這樣，你的盈餘會轉到我的手上，即是被我榨取了。這樣"沿線”收價，你的需求曲線就變作我的邊際收入曲線。只要你願意出的邊際用值高於我的邊際成本，或只要有死三角的存在，我會繼續增產，出售給你的每量減價，直至邊際的價等於你的邊際用值等於我的邊際成本。死三角消失。

這裡的問題是我們很少見到每小量逐量減價的行為，因而以為這種榨取盈餘的方法行不通，尤其是消費者會反對開頭價高的那部分。但覓價者可用另一種不同的銷售方式，效果一樣。那就是用你願意出的平均用值訂價，但你要買一個指定的量，否則完全不賣。你的平均用值也有一條曲線，稱全部或零需求曲線（all-or-nothing demand curve），即是每價你一定要買按此價指定的量的全部。沿這全部或零曲線購買你半點消費者盈餘也沒有。這全部或零的需求曲線是你的平均用值曲線，也是出售者面對的平均收入曲線，而你原來的每價任買多少的需求曲線則成為出售者的邊際收入曲線了。

真實世界的例子

倡導福利經濟學的庇古知道原則上一個壟斷出售者可以這樣做，但實際上市場見不到“全部或零”的銷售安排，所以不能成事，死三角驅之不去。真的那麼困難嗎？五十年前美國的迪士尼樂園收五元進場費，顧客進場後每項玩意再收費，是全部或零的安排。你不進場是“零”，進場是“全部”，進場費從你的消費者盈餘榨取，而進場後每項玩意的收費當然要比不收進場費為低，即是較為接近玩意產出的邊際成本了。

同樣，算得上是高檔次的俱樂部或會所收一個可觀的入會費，每月再收會員費，但會員在會所內享用食品其價會比同樣級別的食肆為低。入會費及月費皆屬榨取消費者盈餘，不容易榨到盡，但屬全部或零的安排。

上述收進場費或入會費是全部或零的變化。如果太多的顧客選零——不進場或不入會——怎麼辦？出售者可以分組別處理，例如昔日的迪士尼樂園的進場費學生或旅遊團較低，而今天的名貴會所或高爾夫球會一律是機構的入會費較高，私人較低。入場費不同是價格分歧，入會費不同可能是，不一定是，我沒有足夠的資料作判斷。價格分歧是過後第七章的話題。

從邊際看不需要榨取很多

這裡要注意：說售價或消費者的邊際用值等於產出的邊際成本是不需要限於一種產品的。我們要從使用資源或生產要素的角度看。一家賣小食的壟斷覓價店子產出多種不同的小食，只要其中一種“邊際產品”的成交價等於邊際成本，死三角的浪費不存在。其他售價高於邊際成本的小食不代表着浪費，因為該小店的資源使用對社會的邊際貢獻等於這些資源的邊際成本。當然，這裡要假設該店子不是賤價賣貨尾或是割價賣廣告。另一方面，壟斷覓價的虧蝕者無數，如果不管訊息或交易費用帶來這些虧蝕，其損失是社會的浪費，是另一個死三角。一般而言，不管是覓價還是受價，一家機構會有租值回報不同的產品，從而賺取邊際產品之內的其他產品的租值。

以榨取消費者盈餘的方法帶到售價或邊際用值等於或近於邊際成本的安排是不需要全部榨取消費者盈餘的。榨取大部分也不需要。因為只要有死三角存在，或邊際用值高於邊際成本，增產可使買賣雙方得益，生產出售者會試圖增產。例如到食肆進膳，正規菜譜之外有套餐，或有特價菜式。其他產品的量大折價可能因為成本較低，也可能是按量折價推近邊際成本的手法。

結語

同學們常見的一個覓價者面對的市場需求曲線之下的邊際收入曲線是限於一種產品，任何價皆讓顧客隨意選購多少的。但我們從來沒有見過一家略有規模的工廠只製造一種沒有變化的產品及任由顧客購買多少的。批發商沒有見過，零售商店也沒有，雖然零售是指拆散了的。經濟學者假設的公司或工廠可能要到火星去找。這假設對某些問題可以接受，但要解釋死三角的存在與教怎樣改進社會是開玩笑了。根本沒有病，經濟學者胡亂下藥作什麼？

傳統的死三角的存在是說生產者面對之價高於他的邊際成本。如果你是生產者，會不會那樣傻，見價高於邊際成本但不多產出呢？多產一件賺一件，不需要全部榨取消費者盈餘，你會設法多產一件嗎？當然會。很小的一個死三角你也會試圖增產來榨取多一點。另一方面，如果一家機構產出多種產品，我們要從資源或生產要素使用的角度看經濟效率。只要其中某產品的某量達到邊際成本等於顧客的邊際用值，死三角不存在。

世界複雜，我們不應該先以理論推斷世事為何，然後把世事簡化來遷就理論。我們要倒轉過來，先知世事，找到有趣的，提出理論假說作解釋，然後在理論的約束下試圖把複雜的世事一般化。昔日弗里德曼和我的共識是：說世界複雜無疑對，說世界簡單無疑也對，從前者到後者之間的關鍵是理論對世事的解釋能成功地一般化。理論以簡單為上，但用簡單的理論複雜的概念變化無可避免。

消費者盈餘是一個概念，有了不起的解釋力，所以重要。困難是要懂得怎樣用出變化。

第四節：邊際成本與擠迫效應

上節分析一個生產覓價者可以通過榨取消費者盈餘的方法來減低甚至剷除那因為消費者的邊際用值高於生產者的邊際成本而出現的無效率死三角。覓價者是從消費者的需求那方面找尋有利可圖的門徑。有前人分析過，但不夠全面，變化也不夠多。同學們細讀上節後可以多想出其他變化。

本節提出前人沒有說過的擠迫理論，是從覓價者的供應那方面剷除那無效率的死三角。即是說，一方面覓價者可從顧客需求那方面出術，另一方面可從自己供應那方面出術，二者只用其一死三角可去，雖然二者合併使用的雙管齊下在真實世界常有。

左出術右出術，都是覓價者出的術，消費者豈不是被欺騙了？不是的。在市場，生殺大權永遠在消費者之手：不買是市場中最大的權力。生產者要千方百計討好消費者，不出術不容易生存。尤其是做廠，可以生存的我一律佩服。

我從一個造錦盒的朋友的例子想出一個擠迫理論。首先，我歷來不清楚傳統的公司理論假設資源或生產要素的空置或閑置是什麼，又或者這傳統暗地裡假設滿負荷（full capacity），即是沒有空置資源。但這滿負荷的定義是什麼呢？傳統沒有說，是不知道吧。跟着是我在本章第二節提出的成本定律。有了這定律，我提出的上頭成本概念在實際用場上可以操作了。一個晚上，半睡半醒中我把資源空置與成本定律合併起來，翻來覆去，突然想起一九七七年自己發表的關於座位票價的思維，加進去後一個完整的擠迫理論冒出來了。

擠迫理論是座位票價的延伸

回頭說那位製造小錦盒的朋友。他製造的錦盒是為印章或花瓶之類用的。造得特別好，所以生意興隆。應接不暇，他要顧客排隊等候。說明是趕急的他可能加點價，但一般而言他要顧客排隊。他說加價顧客會流失，當然對，但他認為顧客排隊重要。製造商一般如是，希望有顧客排隊，所以生意好時一般不加價。

製造錦盒的朋友無疑是個覓價者。解釋他希望顧客排隊因而不加價，我們要注意他擁有或僱用的生產要素之量怎樣算。

經濟學有兩種算法。其一是天然單位（natural unit），即是一平方廠房就是一平方，一個工人就是一個。這是傳統的算法。其二是魯賓遜夫人提出的效率單位（efficiency unit），以同樣生產效率算生產要素的單位，很少人用，而在卷四分析件工合約時，我會指出夫人是用錯了。這兩種算法皆忽略了另一個去處。以傳統的天然單位量度生產要素，其量不變，運作的擠迫度增加在某階段可以增加產量，跟着總產量達到一個頂峰，再擠迫產量會下降，邊際產量下降定律使然也。我在這裡要提出的擠迫理論，可不是邊際產量下降那麼簡單，而是在有交易費用的情況下，空置或閑置的資源或生產要素，傳統的分析沒有處理好。我因而想到一個生產的老闆可以用價格的調校來調控生產的擠迫程度，讓顧客施壓。這是把我一九七六年發表的關於座位票價的思維與邊際產量下降定律及成本變化這三者合併的理論了。

邊際成本的擠迫效應

上述造錦盒的朋友只有一間不到一百平方米的小廠房，擠迫，但還可以增加產量。工具可以用得較為頻密；小廠房可以多擠進一兩個人；工人可以提升拼搏，密不停手。換言之，擠迫雖然會使邊際產出下降，但有一個階段總產量與總租值會增加。我跑過工廠無數，知道工開三更的其生產要素或資源通常還有某程度的空置，或多或少擠迫可以擠出一點產量增加。不是說產量要增加到最高點，而是老闆要爭取的是租值升到最高點。後者比前者先到。

再看造錦盒這個簡單例子吧。因為不同的盒子變化多，不能以件工算工資。本章第二節說過，時間工資，不是短暫的，容易出現灰色地帶。灰色地帶愈大，直接成本愈難界定，邊際成本曲線愈是畫不出來。然而，擠迫出現這灰色地帶開始消失。擠迫愈甚，直接成本愈清楚，邊際成本於是變得清楚了。這是因為有擠迫容易衡量工人的時間產量。我在第二節提出的成本定律成立：雖然時間是委託之量，有擠迫可以容易地按產量算時間工資。

跟着的觀察，是擠迫會導致邊際成本上升——邊際產量下降只是其中一個原因。邊際產量轉變之外，一般的情況是擠迫會導致工資在邊際上升：趕工及加班等會提升邊際工資，或要加點分紅或獎金，而在中國，老闆提供的膳食會豐富一點。這些增加也是直接成本，促使邊際成本上升得更快。然而，因為生產要素有一定程度的空置，在一個階段擠迫導致邊際成本的上升會帶來上頭成本的總租值上升。那是廠房、工具、老闆名頭等租值。也是直接成本的水、電、材料等的平均成本通常不會變。如果再增加擠迫邊際成本的上升使總租值下降，老闆會加價。

在資源或生產要素空置的話題上，我不知傳統的分析究竟怎樣看，也不肯定該分析是否假設沒有空置。我在這裡提出的要點是清楚的：滿負荷或沒有空置的定義，是擠迫程度使總租值達到最高點。換言之，資源的負荷有彈性，而滿負荷的定義只能從經濟收益那方面看。

擠迫程度是選擇的結果。造錦盒的老闆是個覓價者，知道他訂的價可以高一點或低一點，或生產要素可增可減。調校擠迫的方法主要是調校價格。擠迫的程度跟價格的變動反方向走。老闆會訂哪個價呢？會訂與邊際成本會合之價——價就是他的邊際收入。可收之價高於邊際成本，沒有理由不增加產量，減一點價，顧客施壓，擠迫度上升，邊際成本上升得快。

換言之，擠迫的一個效果，是把邊際成本擠到售價或顧客的邊際用值那裡去。是的，只一種產品擠迫也會擠出這樣的效果。價等於邊際成本，廠房、工具等的租值會達到最高點，均衡點是邊際成本等於價等於顧客的邊際用值。租值的邊際升幅是零，在有交易費用的情況下，總租值會比沒有擠迫為高。這租值增加是上升得快的邊際成本曲線之上與售價之下的另一個三角。無效率的死三角不存在。這是邊際成本等於邊際用值等於邊際收入的均衡。

讓我們再轉一下角度看。資源或生產要素有空置，直接成本有灰色地帶，邊際成本曲線畫不出來。生產的覓價者於是要先選一個自己足以生存而有餘的價，下調的空間由上頭成本的租值決定，而上調則要看擠迫程度了。先選價或以價調校擠迫度，價是邊際收入，也是平均收入。因此，雖然生產覓價者面對的市場需求曲線向右下傾斜，先選價或調校價來讓擠迫把邊際成本變得明確然後擠到價那個位置去，價是邊際收入，而擠到那一點租值會是最高的。

是的，在生產行為的分析上，我認為傳統是本末倒置了。資源空置是常有的事，邊際成本曲線畫不出來，於是無從以邊際成本等於邊際收入來“覓”出這均衡點上頭之價。先選一個價，然後把價上下移動來調校擠迫，價的本身是邊際收入。我認為廠家們一般是這樣處理的。

有利可圖雙管齊下

有擠迫，代表供應的邊際成本曲線向右上升，代表顧客需求的邊際用值曲線向右下降，二線相交是邊際成本等於邊際用值的均衡，滿足了帕累托。上節提到的榨取消費者盈餘是生產供應者以價格調校需求量，沿着消費者的需求曲線出術，可以有幾種變化。本節提出的擠迫理論是生產供應者以價格調校擠迫，沿着自己的邊際成本曲線出術，減一點價會提升擠迫。邊際成本上升得快是因為邊際產量下降之外其他直接成本（例如加班工資、分紅或獎金等）會在邊際上升。生產出售者所獲的最高租值是把邊際成本擠到與價格會合那點去。

沿着消費者的需求曲線榨取盈餘或沿着生產者的邊際成本曲線提升擠迫，二者只滿足其一整個死三角消失。前者賣家的利益較大；後者買家的利益較大。二者的混合使用常見。前者可讓消費者保留大部分盈餘——要點是在邊際上榨取；後者可讓員工分享租值。無效率的三角消失會使老闆、員工、消費者三方面得益。這分析容許交易或監管費用存在，但通過價格調校的安排這些費用是被壓下去了。

以調校價格來調校擠迫度是我一九七七年發表的關於座位票價的思維的延伸。昔日不少行內朋友質疑，今天盡皆喝彩。不知他們對老人家新發明的擠迫理論怎樣看。不是擠到無可再擠，也不是擠到產量最高，而是擠到租值最高的邊際成本等於售價。一種產品如是，一家機構多種產品會有一種或以上的產品如是。這裡的困難，是交易費用的存在往往導致合約的安排鎖住了資源或生產要素調動的靈活性，例如簽了長期合約，租金與工資不能下調。這樣，當生意不景，資源出現了嚴重的空置，產品的售價沒有以下調來提升擠迫與租值的空間！我認為這是生意虧蝕需要關門倒閉的一個主要原因。

擠迫調校與工作發放

離開了造錦盒的小老闆，跑到較有規模的製造廠去，本節提出的分析依然適用，只是略為複雜。製造廠通常有多種產品，原則上價高於邊際成本老闆會爭取製造，有時見過於擠迫導致邊際成本過高，不接單，有時因為有空置或不夠擠迫而求客。同樣的產品在不同擠迫度之下可有不同的價。有時趕工要立刻砌出生產線，協助紓緩擠迫，員工辛苦，不補貼一點中國的小廠要多買幾隻雞做菜了。一廠之內，不同的產品有些租值可觀，有些租值是零。說某產品在邊際上有零租值是說邊際成本等於邊際用值，滿足了帕累托，而廠商要爭取的是邊際之內其他產品的租值總和達到最高點。

我也要提出工廠之間互相發放工作的現象。中國的工業以地區集中知名，除了原料及專才因為集中易得之外，互相發放工作對調校擠迫有助，是價格之外的另一種調校，可以減少擠迫度的大幅波動。更要提及的是那些所謂山寨小廠的出現，是跟着大廠搵食的。不是嗟來之食，而是好些瑣碎工作大廠不勝其煩，要發給山寨小廠造。這種發放由大廠監管質量，但山寨小廠無疑是協助着大廠的擠迫調校。

引進榨取消費者盈餘與擠迫效應，傳統的壟斷覓價無效率之說是站不住腳的。但我要問的可不是什麼好什麼不好，也無意改進社會。重要是這裡提出的分析可以解釋大家觀察到的市場現象。這才是經濟科學。從有解釋力的角度看，邊際用值等於價等於邊際成本根本不重要，真實世界是否有這種均衡無關宏旨。重要的是這分析提供了一個推理架構，教我們怎樣想與怎樣觀察才對。

第五節：擠迫減低調校資源的訊息費用

邊際產量下降定律是基於生產運作時資源或生產要素的使用出現了擠迫。兩種生產要素，土地與勞力，只增加勞力不增加土地，擠迫的出現會導致邊際產量下降。這下降是邊際成本上升的原因。但如果土地的投入與勞力的投入一起以同樣的比率上升，邊際產量不會下降，邊際成本與平均成本一樣，是平線一條。這樣，經濟學無從解釋同樣的產品會有多過一家生產的機構或公司的出現。這是老生常談，我在卷二解釋過了。

從阿師之見說起

問題是，要在同樣或相近的產品中出現多過一家的競爭者，產出者的運作要有一條碗形的平均成本曲線。容許所有生產要素一起增加，經濟學者給碗形平均成本曲線的解釋歷來糊塗，只有阿爾欽的解釋強可接受。阿師的解釋是趕急使然。一九六四年我跟阿師詳談過這個問題，大家同意的結論是趕急時調校不同的生產要素總會遇到一點沙石，免不了會受到邊際產量下降的約束。當年大家同意的結論，是趕急時不是不能調校所有的生產要素，而是沒有不需要趕急那樣可以選擇較低成本的要素組合。換言之，阿師之見，是趕急會無可避免地趕進邊際產量下降定律那邊去。引進交易或訊息費用看問題，阿師和我當年之見是趕急會提升交易費用。

把問題倒轉來看

然而，轉到本章提到的那位造錦盒的朋友的例子，我得到的新啟發，是把交易或訊息費用倒轉過來看，而我跟着考查一些其他製造業，得到的結論是把交易費用倒轉過來看才對。

事情是這樣的。那家造錦盒的小廠不是因為趕急而出現擠迫，而是老闆刻意地減價或不加可加之價而促成的。換言之，擠迫是老闆刻意地炮製出來的。為什麼要這樣做呢？因為擠迫可以減低調校生產要素的訊息費用！不是要逼使員工增加勤奮——加薪才是鼓勵勤奮之道——但擠迫可以比較容易地知道需要調校的生產要素是在哪些方面，減少調校可能帶來的錯失。

活動複雜訊息重要

想想吧，一家工廠，生產要素的類別多得很，從廠房到員工到機械到材料，加起來是一幅複雜的圖畫。老闆當然知道需要的生產要素組合的大概，知道什麼需要預先準備。但他不容易知得精確。稍有差池，人手可能太多，員工合約是長工還是短工，機械應否加速維修或多加購置，材料的準備是否恰當，等等，要處理得恰到好處很不容易。以上文提到的製造錦盒為例，單是錦料的色彩與圖案的準備就麻煩：不同的顧客各有各的選擇，要怎樣準備才不會出現存料過多或不足夠呢？擠迫可以大幅地減低需要預先知道的困難。

合約選擇影響調校

我們要注意，合約的選擇會影響生產要素的調校困難，所以擠迫給這調校的協助要看合約的選擇。一般而言，廠房要不是老闆擁有就是訂下長期租約，下了注或簽了約，擠迫對急需知道廠房的面積應否調校的協助不大；員工合約的為期可長可短，又或者可用件工算；機械可自置或租用；材料或原料可以預備或臨時購置。是的，在合約的安排上，愈是容易調校的生產要素，擠迫提供的訊息幫助愈大。倒過來，任何生產要素的合約選擇，其程度會受到擠迫的可能性或大或小的影響。

租值變動一正一負

以減價的方法來提升擠迫減到顧客排隊，是切進了上頭成本的租值去。另一方面，這擠迫會減低調校資源的訊息費用，從而使上頭成本的租值上升。均衡點是二者在邊際上相等。一負一正，正高於負，擠迫的總效果是上頭成本的租值增加了。

擠迫問題有一般性

為了證實錦盒小廠的不加價、鼓勵顧客排隊的選擇不是此家獨有，我跟三位在東莞設廠的老闆查詢。一家產玩具，一家產餐具，一家產展示商品的座架。三位老闆皆認為訂單排期約一年是健康的，而這排期下降到三個月就很頭痛，因為要考慮減少員工或選擇比較靈活的合約安排。要是排期擠迫，他們會考慮發放工作出去給他家造，而支持本節的重點，是這些老闆一致認為，在擠迫上升得快的情況下，他們往往考慮不接單而不考慮加價。熟客會受到優先處理。

是的，我認為政府以工人就業或工業產出的增減來衡量經濟的情況不是聰明的觀察。他們應該從工廠的訂單排期的長短看，因為可以預先知道。原則上，政府也可從工作互相發放的頻密度看，或從那些所謂“山寨”的盛衰看，或從合約選擇的轉變看。這些都有預先通知經濟情況的效能。

擠迫擠出邊際成本

我曾經指出，一個面對需求曲線向右下傾斜的壟斷者，可能因為擠迫的出現，傳統說的無效率的“死三角”會被擠掉，變為有效率。那是從需求曲線那方面看。本章分析的擠迫理論，我們的注意力是轉到供應那方面，而這裡要提出的一個重點，是資源使用的擠迫可以擠出一條邊際成本曲線來。不難理解，邊際成本只能從直接成本——不產出不需要支付的成本——的變動看，考慮到一家產出機構有多種生產要素的存在，老闆與要素之間的合約安排變化多，要增加某產品的一點小量其直接成本的增加為幾可不是那麼容易算出來。生產要素多閑置老闆當然會接單，而擠迫的出現他會遠為容易地算出最低的要價是多少，會較為容易地知道生產要素在哪些方面要調校。

價格領導源於擠迫

這就帶到另一個有趣的觀察。在美國大學的經濟學課程中有一科是關於工業組織的，其中有教"價格領導"（price leader）這個話題。內容是說在一個行業內，產出的物品的市價為何往往有一個領導者，同行的廠家會跟着這領導者訂出的價為依憑，或調校自己的要價。這領導者通常是指行內最大的廠家。這看法顯然不對。我的觀察所得，是如果有定價的領導者出現，一般是生產出現了擠迫情況的那些通常是規模較小的廠家。理由明確：擠迫擠出遠為明確的邊際成本。這好比我在卷二分析出版行業時提到，印刷商之間把書本的局部製作，因為擠迫而互相發放時，根本不需要問價。

經濟學者不知世事

另一方面，在一般的生產情況下，一家工廠的一項產品的邊際成本為幾往往不易算出，更勿論一條邊際成本曲線了。同一產出機構，產品一般有多項，牽涉到的生產要素與材料無數，而最大的麻煩是有多種不同的合約安排，使上頭成本與直接成本之間出現了一片灰色地帶。再者，一家工廠的一項產品的訂價為幾往往是今天預期將來之價。這些複雜變化是真實的世界，説一個從事生產的人會憑着自己面對的直接邊際成本來訂價是把真實世界的市場簡化得過於離譜了。

本節我只是憑着一些簡單的物品，把擠迫的情況引進，擠出一條邊際成本曲線。真實世界有這麼一回事，但不是一致的，而在經濟情況欠佳的情況下，整個行業可能推不出或擠不出一條邊際成本曲線。但市價還是被決定了的。在卷四的第七章討論適者均衡與四二均衡時，我會提出另一個市場訂價的理論。不管怎樣説，西方經濟學的失敗主要是源於從事者對真實世界近於一無所知。

參考文獻

A. Marshall, *Principles of Economics*. Macmillan, 1890.

J. Robinson, *The Economics of Imperfect Competition*. Macmillan, 1933.

G. J. Stigler, *The Theory of Price*. Macmillan, 1952.

A. A. Alchian, "Costs and Outputs," Abramovitz et al., *The Allocation of Economic Resources*. Stanford University Press, 1959.

M. L. Burstein, "A Theory of Full-Line Forcing," *Northwestern University Law Review*, 1960.

G. J. Stigler, "The Economics of Information," *Journal of Political Economy*, 1961.

M. Friedman, *Price Theory*. Aldine Pub. Co., 1962.

A. A. Alchian and W. R. Allen, *University Economics*. Wadsworth Publishing Company, 1964.

S. N. S. Cheung, "The Structure of a Contract and the Theory of a Non-Exclusive Resource," *Journal of Law and Economics*, 1970.

Walter Y. Oi, "A Disneyland Dilemma: Two-Part Tariffs for a Mickey Mouse Monopoly," *Quarterly Journal of Economic*, 1971.

S. N. S. Cheung, "Why Are Better Seats 'Underpriced'? " *Economic Inquiry*, 1977.

S. N. S. Cheung, "The Contractual Nature of the Firm," *Journal of Law & Economics*, 1983.

捆綁銷售可能是反托拉斯對經濟學的最大貢獻，因為指出了一個奇怪而又有趣的市場現象，行內一直吵到今天。得益最大的應該是我：得到該官司的啟發，思考佃農理論時我從合約結構那方面想，跟着是一系列約十二篇關於合約的英語文章，最後一篇是二〇〇八年發表的《中國的經濟制度》了。數十年前發表的今天還活着。

第七章：價格分歧與捆綁銷售

價格分歧（price discrimination）是經濟學的一個熱門話題，本科與研究院必教，可惜到今天還滿是問號。有關的分析起自度比（J. Dupuit, 1844），經過陶西格（F. W. Taussig, 1891）與庇古（A. C. Pigou, 1920）的耕耘，魯賓遜夫人（Mrs. Joan Robinson, 1933）全面分析，再由施蒂格勒（G. J. Stigler, 1946）推廣普及。來頭可真不小。

第一節：價格分歧不易辨識

傳統的定義，價格分歧是同樣的物品，在不同的市場以不同的價格出售。要把市場隔離是重要條件，因為價格不同，在同一市場沒有誰會購買價高的，或者以低價購得的可以轉售而獲利。淺顯嗎？一九六七年施蒂格勒在課堂上對學生說：“我敢打賭，你們不可以在地球上見到在一間店子之內，同時出售同樣的物品但價格不同。”一位在座的學生舉手回應：“就在校園隔鄰的電影院，同時同片同店，門票成年人收二元，學生收一元二角五分。”施大師在講台上行來行去，行了良久，突然說：“告訴你吧，今天晚上我會把那電影院燒掉！”

當然，學生要出示證件是隔離非學生的方法，正如香港的地鐵學生收半價也要拿出證件。真的需要嗎？一九八四年的農曆年宵之夜，我帶十多個學生在香港街頭賣桔。同一場地，桔子盆盆一樣，我教學生跟顧客討價還價時不要說得那麼大聲，儘可能把顧客帶到少人的角落去。結果是同樣桔子的成交價很不相同。為此我發表了今天還有不少人記得的《賣桔者言》，該文會放在本章之後作為附錄。是的，在同一商場，不同攤檔出售同樣的名牌假貨，有時甚至同一攤檔出售同樣的物品，經過討價還價之後不同的顧客付出很不相同之價。討價還價不可能沒有價格分歧的出現——沒有價格分歧不會討價還價——我會在第八章處理。

包裝與成本惹來武斷

辨識一種物品出現不同售價是否價格分歧不是那麼容易，往往困難。產品當然要相同，但有些製造商把基本上是相同的產品用上不同的包裝，或加上“豪華”的型號，而把價大幅提升。是價格分歧嗎？不容易判斷。一九六四年赫舒拉發和我嘗試以同類物品的產出成本與售價的比率的不同作為價格分歧的鑑別，沒有成功，因為成本與售價的比率不同是任何製造商都會用上的經營手法。

另一方面，絕對相同的產品，成本不同因而價格不同不算是價格分歧，但成本要相差多遠才算是不同呢？數碼科技盛行之前，國際長途電話在繁忙時間高出不少。這不是價格分歧，因為繁忙時間有擠迫，電話公司的機會成本比不繁忙時間高出很多。同樣一隻手錶，型號一樣，不是假貨，在租金很不相同的商店出售，租金高的可能賣較高的價，應該不是價格分歧。然而，好些時價格之別與租金之別是脫了節的，是否價格分歧難判也。跑市跑廠跑了那麼多年，好些價格有別的情況是否價格分歧我不敢肯定。有時肯定是同樣物品，也肯定成本較高，但售價卻較低，有這樣的現象，不是沒有解釋，但是否價格分歧很難判。

武斷成分有時免不了。多年前我讀到某課本說長程飛機的頭等票價是普通票價的三倍是價格分歧。應該不是，因為頭等艙每座位的空間是普通艙的兩倍多，而服務也遠為優勝。同樣，醫院的頭等病房收費約普通房四倍，也不是價格分歧。然而，香港及好些城市的醫院，醫生收費是按着病房收費的升降比率變動：同樣的病，住頭等房的病人的診金約普通房的四倍。雖然不懷疑醫生看頭等病房的病人會多花幾分鐘，我的武斷是價格分歧。一位好友（R. Kessel，一九七五年謝世）一九五八年發表的《醫療的價格分歧》（Price Discrimination in Medicine）是精彩文章，同學們要找機會細讀。

蘋果每口算價的謬誤

關於價格分歧最重要的一點，是售價一定要是直接地與量聯繫着的價才算。兩個同樣同價的蘋果，你一個我一個。你吃三口就丟掉，我吃五口，每口之價你比我高。不是價格分歧，因為蘋果是同價。淺嗎？不一定。阿爾欽說銀行發信用卡是價格分歧，因為不同的用戶付錢的時間不同，有些早付，有些推到要交利息的前一天才付，二者賺取的利息不同；有些過期的被罰款加利息。這不是價格分歧：不同用戶的付息與罰款條件一樣。到餐館進膳，餐館送顧客優待券，再光顧的可獲優待，阿師會說是價格分歧：你回頭再光顧我不回頭，餐價因而有別。不是價格分歧，因為你和我受到同樣優待，只是我不領情而已。

昔日美國的超級市場及好些其他商店，通過發行印花的機構，按顧客的消費贈送印花（稱 saving stamps）。顧客把這些印花積蓄起來，貼在一本規定的冊子上。貼滿了，一本一本的，可以拿到印花機構的店子換取物品。以印花換取的物品一般實用，質量好。阿師之見，是贈送印花屬價格分歧，因為有些人貼冊子換物品，有些人把印花隨手扔掉，所以大家在超市購物的真實價格不同。我說不是價格分歧，因為超市對所有顧客同樣收費：售價一樣，按消費贈送的印花量也一樣。你扔掉印花是你的自由，正如上述的蘋果你只吃三口也是你的自由。

為了解決阿師之見跟我的有別，當年我派助手去搜查購物印花回贖（換領）的數據，即是印花公司發放了出去的印花有多少回頭贖物品。得到的數據是百分之九十九以上的印花回贖，不支持價格分歧之說。然而，就算有高的百分率不回贖，我也不認同價格分歧之說，因為購買同樣物品，不同顧客的買價與按價收到的印花量是一樣。

印花現象深不可測

我到今天對贈送印花這現象還想不到解釋。這種印花當年在美國普及，不限於超市，而發行印花的機構顯然是賺着不少錢：他們設立的印花回贖物品的店子的地點租金貴，裝飾華麗，僱用人手不少。為什麼超市要搞這些麻煩呢？簡單地折價不是遠為方便嗎？我不懷疑有些家庭主婦認為把印花貼在冊子上是好玩意，但好些朋友認為麻煩：貼之無趣，棄之可惜。為什麼這些朋友不到不送印花價格應該較相宜的超市購買呢？因為差不多所有超市皆送印花，含意着不送印花的超市會在競爭下敗退。顧客不要印花當然可以，但物品不折價。

不是小玩意，也不是短暫的時興。始於一八九六年，後來有兩家龐大機構從事，一家的印花綠色，一家藍色。在全盛的上世紀六十年代，其中一家發行的印花總量是美國郵票總量的三倍！七十年代美國經濟不景印花生意下降，九十年代中期起不再普及了。我想不出解釋，但聽過的解釋無數，皆不成理。

類似上述的印花現象，出現三幾個月甚至一兩年不奇怪，但九十年是另一回事，那麼普及也是另一回事。

重點還是價與量的聯繫

我要再說一次：售價是直接地與量聯繫着的價；價格分歧是指同樣物品同樣的量，其價有別。蘋果之價一樣，不同的人的每口價不同不是價格分歧。看似淺白：以每口價不同算，所有物品必可算出價格分歧。你和我買回家的電視機同價，但你看得比我多，算是價格分歧嗎？如果是，所有物品都是，價格分歧再不是個需要特別處理的現象了。淺嗎？信用卡、餐館優待券、贈送印花等你怎樣看呢？

同學們要記住價與量的直接關係重要。在過後第三節可見，對我影響很大而又非常有趣的捆綁銷售的分析，是我歷來敬仰的芝大元老戴維德的口述傳統。老師阿爾欽曾經說戴老的捆綁銷售傳統是芝加哥學派的唯一獨特之處。然而，芝大的朋友提供的捆綁分析，卻嚴重地犯了價與量沒有直接聯繫的失誤。八十年代初期，我有機會向戴老解釋為什麼芝大的捆綁分析是錯了。他不僅立刻同意，而且說當年他總是覺得有些什麼不對，但想不出困難在哪裡。不少人認為我的佃農理論是受到科斯定律的影響，但其實主要的影響來自戴維德的捆綁銷售。科斯對我的影響無疑重要，但捆綁銷售把我帶到合約結構與合約選擇這些重要話題去。

重要的思想不需要是對的。

第二節：價格分歧的原因

價格分歧有三等之別。第一等（first degree）又稱無瑕價格分歧（perfect price discrimination）。這是上章第三節提到的榨取消費者盈餘，但所有消費者的所有盈餘全部被榨取了。這裡要注意，不同的消費者同樣地被榨取不是價格分歧。無瑕價格分歧是指不同的消費者有不同的需求曲線，每個要付的沿着該線下降的價格排列跟着不同，或每個消費者要按他們各自的需求曲線而付不同的"全部或零"之價。生產覓價者當然難以估計不同顧客的不同需求，所以在真實世界無瑕價格分歧難以執行。最接近的實例，是我曾經提到的昔日美國的迪士尼樂園收不同組別的遊客不同的入場費。是價格分歧。因為不同組別的顧客被榨取不同的消費者盈餘，很有點"無瑕"的味道。

明顯地，無瑕價格分歧在真實世界近於不存在。經濟學者對這話題感興趣，主要是以之示範那無效率的死三角可以怎樣剷除。他們要示範剷除死三角的困難吧。可惜我掃了他們的興，在上章解釋了為什麼該三角根本不存在。

第二等（second degree）價格分歧有點無聊，同學們不學算了。這是無瑕的第一等加上一點瑕疵：不是沿着不同顧客的需求曲線每小量降價（第一等），而是按量部降價，例如量單位一至一百每單位是一個價，一百零一至二百每單位是較低的另一個價。價格分歧是指不同顧客的同量部分的單位價格不同。有些國家的工業用電這樣算，而不同工業的量部單位之價不同。

三等分歧的理論邏輯

經濟學最常見的是第三等——third degree price discrimination 是也。這是上節提到的那類：同樣物品，不同市場或不同顧客付不同的價，任由顧客購買多少的。傳統提供的解釋是因為需求彈性係數不同，所以價格不同，彈性係數較低的付較高的價。是邏輯井然的推理，清楚明確，這理論被行內毫無疑問地接受不止一百年了。讓我們看看這理論的結構吧。

假設一個覓價者產出的一種產品有兩個分隔着的市場，售價一樣兩個市場都有顧客，但如果這兩個市場的價格需求彈性係數（price elasticity of demand）不同，價格分歧可讓這覓價者獲得較高的總租值。推論如下。兩個市場有兩條不同的需求曲線，因而有兩條不同的邊際收入曲線。把後二者向右橫加，得到的是兩個市場的總邊際收入曲線，生產覓價者的產量是邊際成本等於總邊際收入。然而，要賺取最高的總租值，兩個不同市場的邊際收入要相同。這樣，覓價者給每個市場的供應量是按着彼此的相同邊際收入而供應的兩個市場的量，在各自上頭遇到的需求曲線那一點就是各自的價。如果二者的需求彈性係數一樣，兩個市場的價會相同，沒有分歧，但如果彈性係數不同，彈性係數較低的價會較高，彈性係數較高的價會較低。這就是價格分歧了。

邏輯對不等於真理對

這裡有一個科學上的麻煩：邏輯推理對不一定代表着解釋對，而頭痛是錯的解釋可能因為邏輯推理對而被認為是對了。以不同的需求彈性係數來解釋價格分歧這個現象，在邏輯推理上不僅對，而且經濟學不容易見到那麼清晰地對的邏輯。可惜還有最重要的一關要過：要用可以觀察到的事實或現象驗證。凡是牽涉到彈性係數的理論皆難以驗證：不是真實世界沒有彈性係數這回事，而是難以觀察及量度。一般而言，我們只能大略地猜測彈性係數是高還是低，而有時我們可以相當肯定地說甲情況的彈性係數比乙情況的為高或為低。

嚴格來說，以需求彈性係數不同來解釋價格分歧是一個沒有驗證過的理論假說。隨意的觀察到處都是問號。入住頭等病房的富人的醫生診金是入住普通病房的窮人的四倍，是因為富人的需求彈性係數較低嗎？還是富人的需求彈性較高，需求曲線近於平線，但高到天上去？香港的地鐵收學生半價是政府及納稅人的仁慈，但昔日芝大校園鄰近的電影院收學生近於半價不是仁慈之舉，我們怎可以肯定學生對電影的需求彈性是比較高呢？

傾銷的解釋

一般之見，是以需求彈性係數解釋價格分歧，最具說服力是一個國家的出口貨往往比產出國之內的價格為低，理由是出口貨要面對國際競爭，所以需求彈性係數較高。應該對吧。是嗎？這些日子中國內地的產品出口到香港市場，質量較高價格較低是事實。質量較高是因為需求曲線向右下傾斜，我在《科學說需求》的第六章解釋過了。價格較低呢？我考查所得是因為中國內地有出口退稅這優待政策。

上世紀七十年代，我發覺同是日本產出的照相機，同品牌同型號，在日本市場比香港市場價高。但當時日本的租金與工資比香港的高很多。更為明顯是香港屢有日產照相機的水貨出現。水貨相宜不少但不是假貨，也不是次貨，而是沒有通過正規代理進口的真貨。雖然沒有香港代理的保證書，但質量一樣，很少失靈，而偶爾失靈廠方也是照“保”的。我當年考查所得，水貨是傾銷貨，dumping 是也。

一個牌子的照相機快要出新型號，但日本的廠家發現舊型號存貨太多，怎麼辦？他們不要在本土市場賤價推出這些貨尾，以免影響形象及本土市場的大局，於是推到國外去。因為價低，有時低於歷史成本，日本的廠商不會明目張膽地傾銷於香港市場，以免代理的商人投訴。有隱瞞性的傾銷是水貨，其實往往也是通過作為代理的商人，有時代理的老闆明知卻漠視，讓員工賺取一些外快。水貨久不久出現，但同樣的水貨不會持久。

水貨之價通常遠比同樣的正貨為低。算是價格分歧，但用不着需求彈性係數作解釋。大手割價賣貨尾最好賣到國外去不難明白，老外稱傾銷，炎黃子孫稱水貨，後者比較生動過癮，而反傾銷的西方君子的學問欠奉，不知道真正的傾銷是不會持久的。當然，政客或競爭生產的敗軍之將會見人家價低就大呼傾銷，要求法律協助。

不敢打賭等於沒有解釋

除了上述，我們要注意有些國家的出口貨是專為進口的國家設計的，有小量留在本土銷售，但進口國家因為量大其價較低。我們也要注意瑞士的名牌手錶在瑞士本土市場往往比競爭激烈的香港相宜。更為起眼是德國製造的天下第一名牌的施坦威鋼琴，在德國本土之價比沒有進口關稅的香港相宜很多——其差距遠超運輸費用。這些觀察皆不支持以需求彈性係數不同來解釋價格分歧這個傳統接受了逾百年的理論假說。

我在本土市場與國際市場大花筆墨，因為傳統老是喜歡以這兩個市場來示範價格分歧。我沒有說這兩個市場沒有價格分歧，而是找不到支持不同彈性係數這個假說的證據。我也沒有說彈性係數較低價格會較高沒有出現過。當然出現過，但偶爾的出現算是什麼推斷或解釋呢？牛頓說蘋果會掉到地上，你敢打賭不會嗎？但如果你以邏輯推出需求彈性係數是這樣那樣，所以價格分歧會是這樣那樣，以實證為憑，我賭你錯。

訊息費用與資源空置

我要在這裡介紹自己對價格分歧的解釋，其贏面跟賭牛頓的蘋果會下跌是一致的。這解釋說，在沒有政府干預的市場下，有訊息費用，加上有資源空置，價格分歧會出現。這是局限轉變導致行為轉變的理論，簡單的，雖然在下章分析討價還價時一些小節還要加進去。

在附錄的《賣桔者言》中我提到訊息費用的存在導致同時同地同樣的桔子不同的顧客可能付出很不相同的價。這是價格分歧。一般而言，訊息較差的顧客要付出較高的價是近於定義性的了。當年我試圖挽救傳統的彈性係數假說，問：訊息費用較低的顧客會有較高的需求彈性係數嗎？答案是可能，但不一定。當時我用簡單的時間成本來代替訊息費用，時間寶貴的顧客大致上會付出較高的價，也是近於定義性。困難是我們怎可以肯定時間寶貴需求彈性係數會較低呢？這關係應該對，但不容易有一般性的結論。

無論怎樣說，我們不需要用上需求彈性係數不同來解釋價格分歧。訊息費用的引進有時需要有時不需要。這種費用不容易處理，我會在第八章以整章分析。我認為資源空置是更為重要的解釋價格分歧的局限轉變，通常需要，但也有不需要的例外，因而要補加訊息費用。

房間與座位空置

從賣桔的經驗可見，資源空置對價格分歧有重要的決定性。當年我帶着學生在香港街頭賣桔，如果客似雲來，要排隊輪購，價格分歧會急速下降甚至消失。上文提到的水貨或傾銷的例子也類同。更為明顯的例子是賓館的房價，有很多空置房間時價格分歧常用，尤其是高檔次的。二千多元一天的房間，被譽為貴賓的可能只付數百元。然而，當賓館近於全滿，則改為貴賓不貴。空置導致飛機座位票價的分歧也明顯。二〇〇二年前我在《供應的行為》的舊版中寫道：

> 凡是空置常出現而又有辦法瞞天過海的行業，價格分歧司空見慣。二十多年前我坐飛機回港，坐普通位。因為"關係"非凡，買到半價之下的機票。在機艙內我好奇地向前後左右的乘客查詢，竟然發覺票價最高是我！

飛機票價是海鮮價，容易出現價格分歧，中國內地的處理更為明確：普通客位可從沒有折頭減到一折。同機的打折變化通常沒有那麼大，也不小，是價格分歧。我沒有作過深入的考查，隨意的觀察是二〇〇五年左右，內地機票的折價幅度比二〇一一年為大。也是隨意觀察，二〇一一年取消班次的頻率比二〇〇五年為高。如果這些不嚴謹的觀察是對的話，那麼取消乘客人數太少的航班，把乘客擠進其他班次去，是減少座位空置的另一個法門。這支持座位空置導致價格分歧：取消班次的頻率上升與票價打折幅度下降的聯繫是證據。好些西方國家，乘客有法例保護，沒有故障取消班次航空公司要賠錢給顧客。不知同學們認為哪種處理對社會整體有較大的利益呢？

說到機票折價，我又要給同學出個試題。二〇一〇年之前，中國內地的機票打折只限於普通客位，頭等或商務艙永不折價，就是空空如也也不折。那是為什麼？昔日曹子建七步成詩，今天老人家有朋友作證，用不着七步想出答案（一笑）！

成本定律再顯神通

為什麼資源空置會促成價格分歧的行為呢？答案是上章提出的成本定律：直接成本是可以按量支付的成本。資源的空置量增加，上章提到的灰色地帶擴大，直接成本算不出來，邊際成本曲線於是畫不出，生產銷售的覓價者無從以邊際成本的指示訂價。好比飛機座位的例子，有空置，傳統的分析說服務多一個顧客的邊際成本近於零。這看法不對：一張機票一千五百元，說多招待一個顧客的邊際成本只二十元有什麼意思呢？正確的看法是空置座位多我們無從算出邊際成本，但當擠迫開始出現，甲願意出的票價就是供應座位給乙的成本，而當擠迫度上升，座位的機會成本也上升，是直接成本，而這就是邊際成本曲線了。

現在的問題，是當飛機有大量座位空置，招待顧客的邊際成本變得模糊，或無從算出，主理的航空公司要怎麼辦呢？可以選擇停飛，但如果要飛，公司的選擇是可收盡收。如果公司只訂一個價——整班機的需求彈性係數等於一之價——有兩個困難。其一，該彈性係數之價為何難以估計；其二，就是容易估計只訂一個價的總收入會比採用價格分歧的為低。換言之，從九折減到一折而使機艙全滿的總收入，會比任何單收一個價的總收入為高。中國內地的航空公司顯然很懂得利用擠迫度的變化來調校折頭的變動：普通艙座位通常是全滿的。

賓館有大量房間空置的分析類同。不同之處是賓館不可以關一天開一天，但飛機有偶爾停飛的選擇。停飛一班改作其他用途，或改作與其他客機合併擠迫，一班機的飛與不飛的直接成本之別大致上可以算出來。採用可以停飛跟他家合併的處理會提升起飛的擠迫度，而這提升會使打折的範圍縮小，也即是價格分歧下降。

訊息費用與資源空置不能二者皆缺

我恨不得能只用訊息費用或只用資源空置來解釋價格分歧這個現象，但不成。昔日芝大鄰近的電影院收學生近於非學生的半價，是價格分歧，但標價明顯清楚，訊息費用不存在。是因為有座位空置嗎？那當然：昔日的美國有不少次級的電影院這樣的分歧標價，用小鏈把兩個價牌掛在售票的窗口，但當演出的電影是大熱門，他們會把學生的價牌取下來。

只用資源空置可以解釋所有價格分歧嗎？也不成。英國倫敦的音樂劇場場爆滿，同劇不改可以爆幾年，但通過黃牛黨的精明處理，價格分歧的普及是結果。我在《炒黃牛的經濟分析》寫過，此文也會放在本章之後作為附錄。倫敦的黃牛老兄們手法高明，我拜服。他們是利用喜歡看音樂劇的外來遊客有訊息費用的困擾，推出價格分歧而為生計的。

第三節：捆綁銷售變化多

經濟解釋的一個困難，是要對需要解釋的現象觀察入微。細節重要。雖然把現象簡化是無可避免的程序，但我們要先知得相當詳盡才有機會選出這簡化不能漠視的重點。看錯了，指鹿為馬，拿不準重點，推出來的理論假說會是白費心思。我們可以修改理論，但不可以修改事實。能正確地掌握細節的重點是分析捆綁銷售（tie-in sales）的大麻煩，有些到今天我還沒有足夠的掌握。

嚴格來說，市場的所有物品皆捆綁銷售。購買汽車，輪胎與電池是與車捆綁着的。我在分析公司性質時指出，只要交易費用容許，任何物品中的任何一小部分都可以分部獨立成交，而把所有部分組合起來的"工程"也可以有自己獨立的成交價。為什麼我們在市場見到的物品會是這樣或那樣的捆綁組合一般是淺常識，但這裡要分析的是奇哉怪也的捆綁：普通常識說應該分開銷售，卻被捆綁着一起銷售。本節分析的是兩奇，下節分析的全線逼銷也是捆綁銷售，也有兩奇，合共起來是四奇了。

捆綁紙卡第一奇

第一奇是捆綁銷售這個話題的"始作俑者"：一九三六年萬國商業機器（IBM）被美國反托拉斯起訴。該機構出租他們持有專利的電腦時，規定租用者一定要購買他們供應的電腦使用的紙卡。但紙卡他們可沒有專利，於是被政府以反托拉斯起訴。官司打了二十多年，萬國商業敗訴，不能再捆綁。

捆綁銷售可能是反托拉斯對經濟學的最大貢獻，因為指出了一個奇怪而又有趣的市場現象，行內一直吵到今天。得益最大的應該是我：得到該官司的啟發，思考佃農理論時我從合約結構那方面想，跟着是一系列約十二篇關於合約的英語文章，最後一篇是二〇〇八年發表的《中國的經濟制度》了。數十年前發表的今天還活着。

當年萬國商業機器租出電腦規定用戶一定要購買他們供應的使用電腦時必需的紙卡。電腦是捆綁之物（tying good），紙卡是被綁之物（tied good）。細節上有兩點重要。其一是這二物的比率不固定，常有變動——即是說同樣一部電腦，不同的用戶使用的卡量不同。其二是電腦有多項專利，是有壟斷性的物品，但紙卡則毫無專利可言，天下所有造紙卡的廠商皆可以提供。把電腦的租賃捆綁着紙卡，美國司法部以反托拉斯起訴萬國商業，主要是指控後者把電腦的壟斷專利伸展到沒有專利的紙卡去。

壟斷伸展不成理

那所謂"打孔紙卡"（punch card）在西方的工業有悠久的歷史，初時主要用於紡織業。到了上世紀二十年代，萬國商業推出七點五吋乘三點二五吋的紙卡，每卡有八十行可以用打孔機打穿小孔，讓電波通過，而電腦要計算或要整理的資料是存在這些小孔的位置上。記載說，同樣的紙卡，萬國商業提供的比競爭市場的價高百分之十強。在聆訊中萬國商業說他們的紙卡比市場的質量好。顯然不成立：任何人見到那些紙卡都知道容易造，而萬國提供的也是從競爭市場買回來。

把電腦的壟斷專利伸展到紙卡去言不成理！有三點。一、那麼容易製造而又有悠久競爭歷史的紙卡，供應者無數，要伸展壟斷是伸之不盡的。二、如果壟斷可以那麼容易地伸展到其他競爭產品去，天下所有產品會被壟斷產品捆綁着。三、擁有壟斷產品的人要賺取最高的壟斷租值，單憑壟斷產品爭取會比捆綁着任何其他自己沒有壟斷權利的產品為高。這第三點芝加哥學派在分析全線逼銷時似乎持着不同的看法，是後話。

戴維德的巧妙思想

既然以電腦捆綁着紙卡不會多賺壟斷租值，為什麼萬國商業要捆綁呢？芝大戴維德的口述傳統答案是兩方面的合併，有趣精彩。一方面，戴老認為這捆綁是利用紙卡的使用量來量度電腦使用的頻密度。是神來之見吧。當年量度使用密度的計量器不先進，用之於電腦不易，而據說當時的計量器容易被外人倒撥調校。以捆綁紙卡替代計量器想得巧妙瀟灑，我拜服。但為什麼要量度電腦使用的頻密度呢？戴老的傳統說是為了價格分歧。這第二方面我不同意，因為同樣型號的電腦，不同用戶的租金相同，而紙卡之價也相同，何分歧之有哉？我在第一節指出：售價要是直接地與量聯繫着的價。脫離了這直接聯繫，間接地算，所有市場物品皆可算出價格分歧。

間接地算，萬國商業當年的捆綁銷售起碼可算出兩種價格分歧。電腦的租金很高，紙卡的價格很低，如果以每個計算(per calculation)論價，用紙卡愈多“計算”的平均價愈低。這顯然不是戴老傳統的算法。其二是如果每張紙卡賺取一分錢，加進電腦的租金去，那麼月用十萬紙卡的等於多付電腦月租一千，而月用一千紙卡的只多付電腦月租十元。後者是戴老傳統的算法。我不認為是價格分歧，問題是萬國商業為什麼要把紙卡捆綁呢？

當年困擾着我的，是如果要憑這捆綁多賺錢，把電腦廉價租出去，大幅提升紙卡之價，萬國商業賺取的總租金會較高。或者萬國可以不收電腦租金，收更高的紙卡之價，但規定每月要有一個最低的紙卡使用量。然而，事實上，當年萬國商業收取的電腦租金很高，而紙卡之價微不足道，高出市價百分之十強是微乎其微的收入增加。龐大如萬國商業這個層面的機構，為什麼要採用捆綁紙卡的麻煩來增加一小點租值呢？為什麼紙卡之價不提升？換言之，電腦租金與紙卡收費的比例不合情理。過後分析今天的打印機、噴繪機等捆綁銷售時，所有實例顯示生產出售者皆把賺錢的重點推到被綁的墨盒或碳粉那邊去！

維修保養的解釋

當年我想到的萬國商業的捆綁銷售的解釋——今天還認為是對，不需要改——是捆綁紙卡賺取不多的錢是維修保養的費用。當年萬國的電腦體積龐大，需要佔用一整間房子。只租不賣，因為發明專利之外還有商業秘密，不讓外人拆開來研究。他們也不讓外人維修，要用自己訓練出來的。於是，把電腦租出時萬國擔保凡有故障必免費修理。這裡有點像賓館收每天房租或酒店式公寓收月租時，很多瑣碎的事項或服務皆由業主負責，而昔日萬國的龐大電腦不是他們的專業技術人才不懂得保養維修。

這裡的問題是同樣的電腦不同的用戶可以有很不相同的使用頻密度，租金相同不能處理使用頻密度不同帶來的維修保養的不同需要。如果萬國商業按期出售維修保養的合約，認為自己使用頻密度大幅偏低的客戶會投訴。如果萬國按修理員工的時間收費，究竟時間用了多少、零件之價是否合理等可有爭議。捆綁紙卡，在紙卡之價上賺取一點來幫補租金之外的保養費用，可以解決不同用戶的使用頻密度有大差別的困難。

當年我嘗試找尋支持萬國是為了維修保養而捆綁紙卡的證據，參考過一些該反托拉斯的檔案，也跟一位熟知該案的同事研討過，得不到肯定的結論。維修的問題在案中雖然有提及，但反托拉斯這回事，牽涉到“擴張”是辯方的大忌：你要把電腦的壟斷擴張到修理那邊去嗎？你有什麼秘密需要保護呀？

被綁之物是純競爭物品可能天下獨有

一九六二年我開始跟進捆綁銷售與全線逼銷。五十年後的今天再寫這話題時，竟然想到昔日萬國商業的著名紙卡捆綁可能是歷史上獨有的現象，之前之後可能沒有出現過性質一樣的。捆綁之物與被綁之物，二者之量的比率自由變動是常有的現象，但被綁之物像紙卡那樣純屬競爭市場物品——沒有專利，沒有秘密，也沒有特殊品味或過人之處——可能是萬國當年的電腦獨有。下節可見，全線逼銷往往捆綁着競爭市場的物品，但互相綁着的量的比率是固定的。換言之，比率自由變動的捆綁，其中一物毫無壟斷性質，可能只是昔日的萬國商業獨有。

當年與同事們研討萬國的紙卡捆綁，提到其他兩個大家認為是相同的例子。例一是為皮鞋穿帶的打孔機，有專利，捆綁着看來沒有專利的鞋孔用的小銅圈。這裡要注意：該打孔機是打孔與鑲上銅圈一起完成的。例二是有專利但今天不再用的油印機，捆綁着看來沒有專利的蠟紙。今天老人家有了下文打印機及噴繪機的新觀察，回頭看，上述的小銅圈及蠟紙可能有專利，更有可能是小銅圈與蠟紙刻意地造得不宜用於其他有類同功能的機器。也要注意是上世紀六十年代我在美國寫文稿時，用油印機蠟紙再不捆綁，用家可在市場自由購買其他牌子的。

第二奇被綁之物價高

這就帶到捆綁銷售的第二奇，沒有紙卡那麼奇。我想到故老的打孔機與油印機可能是捆綁與被綁的皆有專利或有點壟斷性，跟萬國商業的紙卡不同，是因為最近考查了先進的小型打印機（包括三或四合一的）與大型噴繪機，一律是有着物品量比率可變的捆綁。所有的實例都是機器之價相宜，近於產出的直接平均成本，但綁着的碳粉、彩墨、感光鼓等，不同用家的用量變化大，價格高，是這些機器賺取租值的主要來源了。

激光打印機用的碳粉本身顯然沒有什麼專利，感光鼓據說也不一定有，但裝載碳粉與感光鼓的盒子則專利滿布。不止此也，這些打印機頻頻更換型號，幾個月一次，每次換型號裝載碳粉及感光鼓的設計不同，略有變動，務求新型號一定要用新盒子。紙張由用家自己自由購買，不論感光鼓，只論碳粉，顧客的打印或複印成本約人民幣十二分一張。相比之下，“非法”地把碳粉加進舊盒內的成本約十分之一。裝載碳粉的盒子的製造成本顯然遠比碳粉高，據說有些空盒子從外地以貨櫃運到中國內地去。打印機賺錢主要是賺我這種人，懶得處理可以弄得一團糟的舊盒，只用原裝有碳粉的新盒。另一方面，舊盒只可再用兩次。

多少通吃與捆綁定律

這裡有兩個問題。其一是為什麼打印機的製造商要把租值的賺取全部推到碳粉那邊去。答案有相關的兩方面。第一方面是如果把兩種或更多的有專利的壟斷物品捆綁，全部收壟斷之價會流失顧客。要先有顧客才可以捆綁出術的。只要顧客用得夠多，免費送機出去也無所謂。但沒有這保證打印機的本身不能不以近於平均成本出售。第二方面是集中於數量自由變動的被綁之物賺取租值，訂價之後顧客多用多收，少用少收，是通吃的處理。

這就帶到老人家要提出的捆綁定律。這定律說：母體、子體二物相綁，通過被綁的量可自由變動的子體物品來賺取母體的壟斷租值，會賺得比單憑母體訂價出售為高，但被綁的子體物品一定要有專利或特性，否則把子體之價提升不僅競爭者會殺進，而母體的顧客不會管什麼捆綁不捆綁。

但我推斷這種捆綁不可以持久。科技會老化，過了一些時日只要有一家製造商能提供水平足夠的母體物品，容許甚至鼓勵顧客自由地在競爭市場選購子體物品——例如一間有水平的打印機製造商設計碳粉容易加進的法門，鼓勵顧客在競爭市場購買碳粉——這製造商可以把母體物品之價大幅提升而還可以把其他施行捆綁的製造商殺下馬來。今天先進難明的科技，到了明天小孩子會認為是淺玩意。我也推斷雖然這邊廂打印機的捆綁早晚會瓦解，那邊廂另一些物品的類同捆綁會出現。換言之，這裡提出的捆綁定律是不會成為歷史的。

昔日萬國商業的紙卡無疑是冤案，而與今天的打印機及噴繪機的捆綁安排互相輝映，照亮着問題，教我們很多。

先覓價然後出術的效率觀

第二個問題是捆綁或被綁的物品既然皆有專利壟斷性，無效率的死三角會出現嗎？答案是不會的。傳統的死三角出現源於邊際收入等於邊際成本，先決定產量才找上頭的需求曲線之價。我考查打印機所得，是製造商倒轉過來，先問打印或複印一張應該收何價才決定怎樣捆綁及產出多少的。市場不同類別的打印機無數，不計紙張，用家的成本一律環繞着人民幣十二分一張，加感光鼓久用後要更換。雖說有專利壟斷，價可變而使出售量或增或減，但製造商的心目中是先有一個每張打印的大約之價才決定在下面怎樣出術。先覓了價才調校下面的出術，價是邊際收入，製造商會調校他們在製造上哪方面可以加哪方面可以減，務求邊際成本最後等於價。不謀而合，先覓了價然後出術這個商業法門跟我在第六章提出的擠迫理論大有雷同之處。

轉到大型的打印機（又稱複印機），不是家庭用的，我得到的香港資料如下。製造商免費提供機器給客戶，每月收費港元一千三百，有外人無法倒撥調校的計量表，每月印一萬張不收費，超過一萬張每張之價減半。紙張顧客自理，算起來又是環繞着人民幣十二分一張。供應商提供所有維修及碳粉、感光鼓等。大機複印得快，耐用。每月用不足一萬張，每張之價當然高過十二分。但這種大型機主要是為做複印生意的商店用的。超過一萬張每張之價減半是意圖鼓勵多用了。六分一張製造商也有可觀的租值進賬。

噴繪機的捆綁類同

轉談噴繪機，今天神乎其技，上佳的微噴效果比正規的彩色攝影相紙沖洗出來的效果還要好。這些龐大的噴繪機只約人民幣五萬，但彩墨價高，噴繪出來的作品，同樣大小，比攝影的彩色相紙作品價高約一倍。但噴繪的作品可以很大，而且可以噴在多種不同紙料或布料上。

我細看裝載噴繪彩墨的墨盒，遠比打印機的碳粉盒簡單易造。噴繪機的製造商當然説他們捆綁的彩墨超凡入聖，有獨到之處，但我的考查所得不是這樣。他們獨到之處不在彩墨，而是在噴繪機的軟件設計。這軟件是為他們提供的彩墨而設計的。用家在市場購買他家供應的彩墨，不管質量如何色彩有少許差別噴繪出來的作品差很遠。

賭同學猜不中

過癮的捆綁銷售變化多，不限於上述的例子。香港的酒家賣一元一隻雞是捆綁銷售，因為顧客不能只吃雞不吃其他，也不能購買多隻帶回家。我認為這是噱頭，不是生意之道：沒有見過可以持久地這樣做的。昔日西方的租金管制帶來鑰匙的捆綁。政府法例説我要廉價租公寓給你，你給我數千元購買該公寓的鑰匙吧。還是香港人的想像力比較瀟灑。二戰前香港的租金管制，業主收鞋金，因為行來行去找租客行破了多雙鞋子。二戰後，香港的租金管制帶來另一個層面的想像力。市租與管租差距太大，不可能行破那麼多的鞋子，業主於是轉收租客建築費：政府指明我要收廉租，那是指房子還沒有建造好的租金吧！同學們可以想出為什麼打起官司業主必勝嗎？我賭同學猜不中。

第四節：隱瞞訊息與全線逼銷

全線逼銷（full-line forcing）是美國市場文化的一個稱呼，其他西方國家怎樣稱呼我沒有考究。香港也有類同的市場運作，一九七五年我考查過，但沒有聽到有什麼名稱。經濟學者對這話題的興趣也是來自反托拉斯的案例。

我的朋友 G. Hilton 一九五八年發表的《Tying Sales and Full-Line Forcing》是第一篇關於全線逼銷的經濟文章，而最受廣泛注意的是 M. L. Burstein 一九六〇年發表的《全線逼銷理論》(A Theory of Full-Line Forcing)。都是有斤兩的文章，後者湛深難明，當年讀得懂的主要部分我不同意。老師阿爾欽認為重要，我不大懂也讀之再三。後來在華大跟巴澤爾研討過幾次，沒有得到什麼。一九七五年回港度長假，無意間在朋友的商店聽到他對全線逼銷的投訴，我只問幾句清晰的答案就冒出來了。跟着考查了香港的另一個行業，再後來想到五十年代韓戰期間，我父親的商店也施行全線逼銷，性質有同也有別。

全線逼銷的特徵

全線逼銷也是一種捆綁銷售，跟上節分析的很不相同。我考查所得，全線逼銷的要點如下。一、捆綁着的不同物品的種類可多可少，也可以是壟斷或是競爭物品。二、不同物品之間的物量的比率是固定的，沒有捆綁的母體與被綁的子體的分別。三、捆綁着的不同物品在使用上可以沒有關連，例如鹽可能捆綁着咖啡。四、可能由廠商或批發商把物品捆綁着賣給零售商或工廠，但零售商不會同樣地捆綁着賣給消費者。五、捆綁的物品中必有一種是市場的熱賣品，這熱潮一過，捆綁會瓦解，所以全線逼銷一般不持久——再有熱賣貨再捆綁是另一項全線逼銷了。

榨取消費者盈餘問號多

回頭說 Burstein 的文章，作者著作等身，以想像力與深度知名行內，但我認為在細節上他對真實世界的全線逼銷的要點掌握不足。我不肯定的理解，Burstein 的湛深理論說全線逼銷是為了榨取消費者盈餘。他認為如果甲是壟斷物品，以沒有壟斷性的乙物品捆綁逼銷，甲物品能獲得的壟斷租值往往比單售甲物品為高。這捆綁把甲物品之價減低，減到邊際成本，然後把甲的壟斷租值加在乙物品之價上。

不是淺思維。有點像昔日萬國商業的電腦捆綁紙卡，不同的是紙卡收低價，而紙卡的用量自由變動。有點像我在上節討論的打印機捆綁着碳粉，但碳粉（或盛載碳粉的盒）一定要有壟斷性或特性，而碳粉之量也自由變動。有點像昔日迪士尼樂園收入場費，但入場費出售的只是一張"許可證"，本身不是一種可以享用的物品，而入場之後再收費的玩意多少可以自由選擇而變動的。最接近 Burstein 的想法可能是昔日的迪士尼樂園還給顧客另一個選擇：購買一小本有二十多張可選擇二十多項玩意的票，要全本買，然後進場免費。這是另一種全部或零的安排，與收進場費異曲同工，但除非進場後只是行來行去也算享受，進場的本身不是可以享用的物品。

當年困擾着我的有如下數點。一、全線逼銷捆綁着的不同物品的量的比率是固定的。我認為不管不同物品如何各自訂價，只要捆綁着的比率固定，顧客一定要一起購買，那只能算是一種物品。好比一雙鞋子售價五百，出售者可訂左鞋四百右鞋一百，但一定要一整雙買；或者出售者訂價左鞋五百，買一送一，右鞋免費。這些與五百買一雙是沒有分別的。二、以固定的量來榨取消費者盈餘是可以的——這是全部或零的安排。然而，單以壟斷物品作全部或零的安排來作這榨取足夠，用不着把其他物品捆綁着。三、以進場費或入會費之類榨取消費者盈餘，不是什麼物品，顧客付這些費用只是為了進入後可以享用項目的權利。但如果一個顧客要買甲物品，你把他不要買的乙物品捆綁着，逼他一起買，不是不可以，但你要從甲物品榨取的消費者盈餘一定較小。四、全線逼銷捆綁着的，很多時全是競爭物品，沒有什麼專利或獨特之處。換言之，在算得上是全線逼銷的實例中，觀察到的細節要點不支持榨取消費者盈餘這個假說。

得來全不費工夫的解釋

回頭說機緣巧合，在朋友的商店中只問幾句就找到完整的全線逼銷的解釋，我在《供應的行為》的舊版中有如下的回憶：

一九六二年我開始推敲全線逼銷的現象，一九七五年破案。踏破鐵鞋無覓處，得來全不費工夫！該年我從美回港度長假，到朋友的零售店聊天，老闆朋友提出一個他面對的全線逼銷的現象，我如獲至寶，只問了幾句，不到五分鐘，就得到完整的解釋。這可見真實世界的啟發無與倫比，經濟學者是不應該把自己關在斗室之內而揣測外間的世界是怎樣的。

我還記得當日與該店老闆傾談的幾句話。我問："老闆，生意很好吧？""有什麼好的？一隻名牌打火機的批發商發神經。他們的打火機款式一樣，一金一銀，歷來我們要金造的取金，要銀造的取銀，大家相安無事。但最近他們規定取一金必定要取一銀，一綁一逼銷，否則不賣。""是金的好賣還是銀的好賣呢？""當然是金的，供不應求。""是因為最近金價急升吧。""應該是的，日本仔最近只要金的，不要銀的。"

我再問："你可以從批發那裡只取銀的吧？""那當然，但銀的我們要虧蝕，不強迫我們不要。""你賣金的給日本仔賺很多錢吧？"老闆笑了，笑得很開心。我繼續問："銀的你大減價總可以賣出去吧？”“我們要虧蝕！”最後我說：“你不會那麼蠢，告訴那批發商金打火機賺多少錢。”他哈哈大笑。

如上可見，全線逼銷起於隱瞞訊息——這裡是指打火機的零售商對批發商隱瞞着金與銀打火機的零售價。一九七五年金價大升，位於熱鬧商場的零售商面對眾多的日本遊客。這些遊客一般只買金的，不買銀的。零售商知道金與銀打火機的相對價格大約應該為何，但他不會熱心地通知批發商——就是坦誠相告批發商也不會相信，更何況不同的零售地點顧客的選擇不同。

熱賣捆綁滯銷的理論

這就是問題。金、銀打火機一熱一冷，市場的相對價格應該大約為何零售商比批發商知得清楚，但前者不會通知後者。這是市價訊息的隱瞞。另一方面，批發商知得比零售商清楚的，是兩種打火機的存貨及散貨給多個零售商的速度。批發商知道金的存貨下降得快，銀的存貨下降得慢，也知道零售商要不是隱瞞着市價的訊息，就是提供訊息也不可靠。批發商知道金的要加批發價，銀的要減批發價，但要嘗試改價多少次才能命中呢？一個簡單的處理方法，是批發商以一個固定的比率把金的捆綁着銀的——當年見到的實例是一對一，但有需要可用其他比率——以金的拉快銀的去貨速度，以銀的拖慢金的去貨速度。只要金與銀捆綁着的去貨速度回復到經驗上的正常速度，市場零售的金與銀打火機的相對價格一定對！

這裡同學們還要注意幾點。其一，零售商購進了捆綁着的金、銀打火機後，會分拆開來賣給消費者。因此，市價訊息的隱瞞不會持續很久。另一方面，因為不同地區的零售店有不同的金與銀的比率需求，這捆綁的撤銷會被拖慢了，尤其是有全線逼銷的捆綁給批發商提供着可以替代市價訊息的去貨速度的指引。其二，如果市價的訊息費用不存在，不捆綁比捆綁對批發商有利，因為有些檔次高的零售店只賣金的打火機。金、銀捆綁不一定會流失這些高檔次零售，因為不同檔次的零售店之間互相發放貨物是常有的行規。

其三，批發商捆綁逼銷通常會保留着物品各自的價，雖然像左鞋、右鞋那樣，對零售商而言，在捆綁下這各自的價沒有意思。批發商保持各自的價是為了方便算出捆綁着的總價，也為了需要撤銷捆綁時不需要再印價單。其四，捆綁逼銷的總價可以隨時改，而捆綁的物品比率也可以改，但這些更改會因為捆綁逼銷帶來的訊息費用下降而改得比較少也比較肯定。其四，打火機的例子，金的是熱賣品，銀的是滯銷品。全線逼銷的捆綁一定有熱賣品，但邏輯上不一定需要有滯銷品。然而，我知道的這種逼銷實例一律是熱賣的捆綁着滯銷的。理由明確。只有熱賣品沒有滯銷品，調校批發價只調熱賣的，遠為容易，但如果碰巧有滯銷的，而同一零售商兩種皆銷售，那麼把熱賣的與滯銷的一起捆綁逼銷是一石二鳥，訊息費用的節省是增加了。

其他全線逼銷的例子

一九七五年的暑期，得到打火機捆綁逼銷的啟發，我轉到認識朋友多的攝影器材這個行業去考查。當時香港的商業結構沒有今天那麼專業，而遠在數碼科技之前，攝影器材多而雜，單是一個名牌的相紙就有多種類別。批發商捆綁逼銷的出現，通常起於某照相機推出一個熱賣的新型號，或一個市場搶購的新鏡頭。一時間供不應求，批發商喜歡把滯銷的膠卷或近於過期的相紙一起捆綁着，推給零售商。滯銷閃光燈的陳年舊貨也是捆綁的好對象。這些逼銷通常為期短暫，到了熱賣品的供應足夠就不再捆綁了。

據說金屬產品最容易出現全線逼銷，與 Burstein 提出的例子類同。若如是，這逼銷起於不同金屬原料的相對價格常有大幅波動，從而導致金屬產品常有熱賣與滯銷的情況。但金屬原料永遠是競爭性的物品，因而不支持全線逼銷是為了榨取消費者盈餘這個假說。

施蒂格勒曾經發表過一篇短文，關於美國電影批發商例行地推出 block-booking。這是指次等貨色的影片，批發商喜歡把不同影片組合捆綁着，逼銷給次等的電影院。我不記得施兄的解釋，但當年不同意，認為也是熱賣與滯銷影片的組合逼銷。跟上述的打火機、攝影器材、金屬物品等的不同之處，是影片的捆綁逼銷當年是例行的安排，每次有次等影片出現批發商皆捆綁。不難明白，這些影片的票房反應為何批發商難作判斷，捆綁着推給零銷的電影院處理好了。

韓戰帶出第四奇

上述的全線逼銷是捆綁銷售的第三奇，主要起於批發商有熱、冷物品在手，一時間對市價的所知不及零售商，但後者隱瞞着市價的訊息，所以批發商以捆綁逼銷解拆。

最後要說的是捆綁銷售的第四奇，也是全線逼銷：捆綁着的不同物品的量的比率也是固定的。理由也是要隱瞞價格的訊息，但此奇也，要隱瞞訊息的可不是零售商，而是批發商。批發商要隱瞞入貨價的訊息自古皆然，不奇，這裡要說之奇是批發商要隱瞞批發的出售價，因而把其他物品捆綁逼銷。這現象少見，但我有一手的可靠資料。

上世紀五十年代初期韓戰爆發，在美國施壓下，香港實行“禁運”。多年後一位退了休的港英高官告訴我，香港當時靠自由進出口為生計，當然反對禁運，但美國施壓也無可奈何。這解釋了為什麼這禁運雖然嚴厲，但不是全面的，一些有足夠資歷的進口商被放一馬，但進口要證明只賣給香港本土的用家。話雖如此，偷運到中國內地去是理所必然的了。有特許進口權的商人因而賺大錢。我父親在香港永樂街經營電鍍原料，因為是老字號，容易拿得本土廠家的專用證，是個獲益者。

當時父親商店遇到進口被禁運的物品只有一種，那是鎳，一種電鍍必用的金屬，一條條的，稱鎳條。入口價港幣三元多一磅，在禁運下，市價高於三十，有時達五十。當時父親有病在身，我幫忙跑香港工商署申請進口批文。鎳條是賣給工廠用的，他們是否真的自己用我們管不着。鎳價愈升愈高，父親的店子就仿傚永樂街的西藥進口商店，推出捆綁逼銷，把其他同樣工廠可以用得着的電鍍原料與鎳條捆綁着一起銷售。理由明確，父親的商店不要讓外人知道鎳條的進口可以賺那麼多錢，以免外人也想辦法進口，於是捆綁着其他原料，把鎳之真實市價隱瞞着。這裡要注意，鎳是熱賣品，但其他原料可不是滯銷的。把其他原料提升一小點價，捆綁着鎳條逼銷，可以把沒有進口鎳條批文的行內競爭者殺下馬來。

當時香港的永樂街是西藥進口批發的集中地，小小的商店生意龐大。西藥是當時運禁最嚴厲的物品，尤其是盤尼西林。這些西藥進口商為了隱瞞盤尼西林及其他救傷藥物的價格訊息，推出捆綁逼銷。也是沒有滯銷物品捆綁着。

全線逼銷的捆綁是為了隱瞞價格訊息，與上節分析的捆綁不同，被綁的不同物品的量的比率是固定的。不是為了榨取消費者盈餘，也不是要把壟斷租值的賺取推到被綁的量可變的物

品那邊去。你要騙我，我捆綁着物品逼你購買。我要騙你，捆綁着逼銷你不會知道物品分開的批發價。全線逼銷不會持久，只是電影片的捆綁不斷地重複。批發商隱瞞入貨價千篇一律，自古皆然，但用上全線逼銷來隱瞞批發價不多見。比較多見的是零售商隱瞞市價，批發商以全線逼銷解而拆之。

同學們明白嗎？經濟解釋的推論要先在真實世界觀察入微，要掌握着事實細節中的要點才可以把經濟學的理論與概念用出威力。不容易，但有趣，而整體掌握得到家經濟學的推斷或解釋力是大可與自然科學分庭抗禮的。

附錄一：賣桔者言

（按：本文寫第二次年宵賣桔的經驗，發表於一九八四年二月十日。這經驗促使我把傳統的價格分歧分析從頭再想。）

作為一個研究價格理論的人，我對實證工作好之成癖。要理解玉石市場的運作，我曾經在廣東道賣玉。在美國研究石油價格時，我到油田及煉油廠調查了幾個月。在華盛頓州研究蜜蜂採蜜及替果樹作花粉傳播的市場時，果園及養蜂場是我常到的地方。後來發表了《蜜蜂的神話》，很受歡迎，無意間我成為半個蜜蜂及果樹專家。

因為從事實證研究而在某些行業上成為準專家的經濟學者不少。理論經不起實證的考驗，很難站得住腳。一個有實據在手的後起之秀，有時只用三招兩式，就可把一個純理論的高手殺得片甲不留。

跟一般行家相比，我有兩個較為例外的習慣，一好一壞。好的一面是我強調實地調查的重要。這觀點起於在大學寫論文時引用書本上的資料，中過計，痛定思痛而產生的。壞的一面是我的興趣只在乎調查研究，不在乎寫論文發表。滿足了自己的好奇心，欣然自得，懶得將研究的結果不厭其詳地寫下來。關心的朋友對我那些千呼萬喚也不出來的文章很失望。他們如果知道我年宵之夜在香港街頭賣桔，會寫信來查問所得。

香港年宵市場，在年宵的那一晚，需求的變動是極快、極大的。變動的方向大致上大家預先知道。一千塊錢一棵桃花可在幾個小時變得一文不值。如果不是買賣雙方在期待上出錯，上好的桃花哪會有棄於街頭的浪費？賣不出跟蝕大本賣出有什麼分別呢？同樣一枝花，有人用二百元買也有人用五十元買，是為什麼？年宵貨品的不斷變動的價格是怎樣決定的？期待上的錯誤是怎樣產生的？這些問題既困難又重要。

要在這些問題上多一點了解，我決定在年宵那一晚親自賣桔。這是第二次的經驗。第一次是一年前的年宵。那次連天大雨，年宵當晚更是傾盆而下。擺了數天的桔子十之八九因為雨水過多而掉了下來。我見“空多桔少”，知道大勢已去，無心戀戰，數十元一盆成本的四季桔，以五元清貨了事，無端端地蝕了數千元。

今年捲土重來，也是意不在酒。入貨二百多盆，每盆成本四十，賣不出是不能退貨的。送了一小部分給親友，餘下大約二百盆就決定在年宵晚上八時起，在借來的一個行人眾多的空地盤出售。這數量比一個普通年宵攤位的一晚銷量大上幾倍。我和兩個朋友與幾位學生一起出售的只是四季桔，而在地盤鄰近少有賣桔的人，到凌晨三時半便將桔子全部賣出了。

全部賣出不一定有錢賺；賺錢與否要看每盆桔子平均售價的高低。在我們一定要全部賣出的局限下，入貨的多少、價格轉變的快慢、價格高低的分布、討價還價的手法，都有很大的決定性。我們二百盆的平均售價大約每盆五十五元（最高八十元，最低二十元），若盆數減半，盈利會較高。我們賺得的就是那些送了給親友的桔子，而我自己從賣桔領悟到的經濟含意，卻大有所值。

九時左右，客似雲來。年宵市場沒有不二價這回事。無論開價多少，顧客大都講價。整晚我們只有五六盆桔是照開價賣出的。一般顧客知道年宵市場要討價還價，實行不二價很難成交。在這種情況下，我們開的價是預備要減的。每個顧客的訊息不同，討價還價的技能不同，所以成交價格不一。賣桔的人所求的是要以最高的平均價格，及時將全部貨品出售。我們起初開價是每盆八十元，最低六十出售。十一時開始下雨，開價立減；半小時後雨停了，開價立加。午夜後開價減至七十元。這小時顧客最多，以為午夜後可買便宜貨，講價較繁。其後減價次數漸多，到後來每盆開價三十。

同樣的貨品，同樣的成本，以不同價格出售，叫作價格分歧（price discrimination）。這是經濟學的一個熱門話題。要在同時同地用不同的價格將桔子出售，我們幾個人獨立作戰，儘量把顧客分開，也要使顧客相信自己所付的是"特價"。如果沒有價格分歧，生意很難不虧蝕。買賣雙方因此都有不老實的行為。

價格分歧的現象眾所周知，不值得大驚小怪。但在經濟學上，年宵賣桔的經驗卻使我領悟到幾個重要的含意。所有經濟學課本上的分析，說實施價格分歧必須有兩個條件。第一個條件是要將市場分開或將顧客分開，而經濟學者一致認為在同時同地將顧客分開是不可能的。這觀點顯然是錯了。價格的訊息費用相當高，而這訊息賣者比買者知得多。只要買者相信自己議訂的價夠便宜，他不會再費時去查詢，也沒有意圖公布自己的買價。

第二個價格分歧的主要條件，是付不同價錢的顧客的需求彈性（price elasticity of demand）必定有所不同——付較高價錢的彈性係數一定較低。這條件顯然也是錯了。訊息較少的人付價較高，而訊息的多少跟需求彈性的係數沒有一定的關係。以需求彈性不同解釋價格分歧不難找到反證的實例。

有些經濟學者認為在某些情況下，價格分歧是唯一可以賺錢的方法。那是說，不二價是會蝕本的。諾貝爾獎獲獎人施蒂格勒不同意這觀點，但我賣桔的經驗卻認為這沒有錯。施兄又認為價格分歧必會帶來浪費，因為付不同價格的人的邊際價值不同。這分析看來也是錯了。有無可避免的交易費用存在，不同的邊際價值總要比買不到桔子有利。若機緣巧合，施兄能在年宵期間訪港，我會帶他到街頭一起賣桔的。

賣桔的經驗也使我對討價還價及不忠實的行為有較多的認識。這裡要向經濟系的研究生指出的，是他們抱怨找論文題材的困難是言過其實。要作經濟研究，香港有如一個金礦。好而重要的論文題材信手拈來，俯拾即是。

附錄二：炒黃牛的經濟分析

（按：本文發表於二〇〇九年十二月一日，分析價格分歧的幾種變化。）

同樣的現象或行為，可以有很不相同的經濟含意，而如果政府不明道理，只管採取同樣的政策或法例來處理同樣的現象或行為，可以闖禍。

不久前我發表的《打假貨是蠢行為嗎？》是個例子。一些假貨無疑對真貨有害，但名牌手錶、手袋之類，假貨的普及宣傳可以幫真貨一個大忙。如果政府立例“打假”，把假貨杜絕，不僅會損害真貨的老闆，數以十萬計的製造假貨的工人也會受到損害，無數的消費者少了享受也。

同樣，排隊輪購這現象要怎樣解釋才對呢？傳統的解釋是因為有價格管制，售價被約束在市價之下。價管無疑可能導致排隊輪購，然而，沒有價管的超級市場，在繁忙時間一般有排隊輪購的現象。後者的可能解釋有好幾個：超市頻頻調整價格的費用可能太高，或引起混亂的代價可能太高；在短暫的繁忙時間增加收錢的服務可能不划算，顧客寧願多等幾分鐘；有人龍出現，收錢的服務員會見形勢而提升工作的速度。這些及其他的解釋都有可能。跟自然科學一樣，經濟學的科學方法可教如何取捨解釋，如何決定是哪幾個解釋的合併，也教怎樣從幾個有關的合併中衡量彼此之間的輕重。

炒“黃牛”一詞據說起自二百年前上海出現的“黃牛黨”，以“黃牛群之騷然”來描述該現象。其中那個“黨”字近於不可或缺，因為下文可見，要炒得有利可圖，聯群結黨而炒之往往需要。一般之見，是“炒黃牛”通常是把原定的物價或票價炒上去而圖利，但今天神州大地的經驗說，把原價炒下去也時有所遇。炒黃牛因而不限只炒上，而是有時炒上有時炒落。我曾經說中國的市場比西方先進之邦的來得自由，來得精彩，黃牛之價往往炒落是西方經濟學者不容易想像的玩意了。

不成氣候的課本說的炒黃牛，其實是指炒黑市。這是要在有價格管制的情況下才出現的。黑市的存在可以減少在價管下因為要排隊輪購或花時間搞關係等行為必會導致的租值消散。黑市是非法行為，破壞了價管的目的。其實價管的目的為何是深不可測的學問。我認為在私營運作下政府推出價格管制，主要是滿足某些人的政治要求。歷史的經驗，很難找到勞苦大眾能因價管而獲益的證據。

跟八十年代的中國相比，西方的價格管制屬小兒科了。當年神州大地的價管，主要用於國營企業的產品。此管也，容易推行，因為有國營幹部的支持。當時在價管下的炒黑市稱為倒買倒賣，誰是獲益者清楚明確。今天回顧，國企的大事價管幫助了經濟改革。這是因為價管無可避免地帶來的國企財政損失，要政府上頭負擔。上頭負擔不起，是促成要虧蝕的國企加速私有化或民營化的一個主要原因。另一個原因是世紀轉換時地價開始上升，國企因而賣得出去，有足夠的資金遣散國家職工。是的，當年賣要虧蝕的國企其實是賣地產。

轉談大家熟知的炒黃牛，其實主要是炒票：戲票、球票、車票、糧票、劇票、音樂會票、運動比賽票等。黃牛黨賣的稱黃牛票。炒黃牛門票有兩個特點，增加其生動性與過癮度。其一，票是小小的紙張，黃牛老兄攜帶方便，一夫之勇可以隨身帶很多。其二是門票的使用一般有時間性，過了開場或開車的時間，票的使用權一般作廢。炒票的繁忙時間通常是使用前的短暫時刻。要急切地推銷，否則作廢，這樣的局限逼使黃牛老兄們要有很高的效率才可以賺錢。他們要聯群結黨，互相呼應。黃牛"黨"於是成立，大家互傳信息的法門是個現象了。今天手提電話普及，使中國內地黃牛黨的運作快若閃電，令人嘆為觀止。

國企或公立的服務的票價往往偏低——例如新春期間的火車票價——黃牛當然大炒特炒，而我們不用懷疑這偏低的票價會使有權發票的人獲利。公立出售的車票或門票鼓勵炒黃牛容易解釋，不用細說了。困難是私營牟利的企業也屢見炒黃牛的現象。為什麼呢？有幾種原因。

想想吧，一間私營的電影院，老闆不可能不知道怎樣訂價才對，或起碼知道價位大概應該為幾。黃牛老兄要從中取利，談何容易？大手購入一批電影票，猜錯了市場的需求，只賣出其中一小部分豈不是血本無歸？這就帶來黃牛老兄們要與電影院的售票員串謀行動之舉：賣不出去的可以靜靜地退回給票房。這是香港五十年代的經驗，導致電影院的老闆們到警署投訴，促成政府立法禁止黃牛行動。這可能是炒黃牛一般屬非法的主要原因。今天的電影院一律以電腦處理票房操作，炒黃牛近於絕迹了。

今天，中國內地的音樂演奏會、體育比賽等項目，皆有黃牛黨的存在。這是為什麼呢？一個原因，是這些節目的票價夠高，炒上炒落都有點油水。另一個原因，是這類演出，在內地通常有免費的贈票送給達官貴人，而這些君子們往往不知莫札特是何許人也，黃牛老兄於是把這些懶得出現的君子的門票弄到手。再另一方面，任何演出，總有些購買了門票的人因為某些事故而不能參與，於是通過黃牛老兄放出去。炒贈票或因事故而不參與的票，往往炒落——即是黃牛票價低於原定的票價。當然，有了黃牛老兄的存在，購買了票的顧客可能見黃牛票價大升了而放出去。

有一次，在上海要觀看世界乒乓球決賽，黃牛老兄擔保一定有最佳座位，說明票價大約會高出原價百分之五十。到那天，知道決賽的全是中國球手，該老兄說不用急，票價一定會下跌。我和太太等到開場前二十分鐘才抵達，結果以半價得票。

兩年前在廣州聽某鋼琴演奏，在演奏廳門外有兩位黃牛老兄求票。以為一定爆滿，殊不知進場後，竟然發覺三分之二的座位是空置的。我立刻走出廳外考查，發覺黃牛老兄要炒落。

他們要以廉價購入因事故而不能參與的棄票，賺一小點錢但以低於原定的門票之價出售。那時該演奏廳的售票處還在賣票，但票價是硬性規定了的，不能改，售票員於是眼巴巴地看着黃牛老兄在面前割價搶生意。

最困難的解釋可能還是英國倫敦音樂劇的黃牛安排。這些音樂劇一般上演好幾年，而往往未來一年甚至兩三年的門票一早就全部賣清光。短暫的低估了需求可能，但那樣長線甚至永遠地低估是不可能的事。然而，一位外來的遊客要看任何音樂劇，只要出得起錢，有黃牛組織可以光顧，而最方便是名牌賓館的服務處了。屬非法，沒有告示說有票出售，但如果輕聲地問服務員，他會拿起電話，讓你討價還價一下，門票在半個小時內送到。票價比原價高很多，但頂級的座位隨時可獲。十多年前在倫敦，我們一家炒了兩場，其中一場的頂級座位從原價的五十英鎊炒到二百英鎊，太貴，只讓兩個孩子去看。倫敦的黃牛黨也神乎其技，只開場前幾個小時購得黃牛票，價夠高座位果然絕佳，而令人佩服的是這樣的黃牛處理，兩場皆坐滿了觀眾，空座一個也見不到。（我沒有去的那場，叫兒子數空座回報。）

我想到的解釋是價格分歧。音樂劇的老闆及他們的票房無從判斷誰是本地人，誰是願意出高價的遊客。他們於是一隻眼開一隻眼閉地讓黃牛組織先購入一兩年的門票。黃牛組織有不同的等級層面，可以鑑辨不同類別的顧客，價格分歧於是出現了。有了這價格分歧的處理，音樂劇的老闆以不分歧的票價出售給黃牛組織，其總收入是會高於不容許這些組織存在的。這是經濟學。

相比起來，香港的迪士尼樂園就顯得愚蠢了。幾年前啟業後不久，一些買了門票的內地客不光臨，託黃牛在園外出售。

樂園報警，拘捕了一男一女，輿論嘩然。蠢到死，出售後容許黃牛轉讓的門票，其原價當然比出售後不容許轉讓的賣得起錢。這也是經濟學。

參考文獻

J. Robinson, *The Economics of Imperfect Competition*. Macmillan, 1933.

G. J. Stigler, *The Theory of Price*. Macmillan, 1952.

W. S. Bowman, "Tying Arrangements and the Leverage Problem," *Yale Law Journal*, 1957.

G. W. Hilton, "Tying Sales and Full-Line Forcing," *Weltwirtschaftliches Archiv*, 1958.

M. L. Burstein, "A Theory of Full-Line Forcing," *Northwestern University Law Review*, 1960.

Walter Y. Oi, "A Disneyland Dilemma: Two-Part Tariffs for a Mickey Mouse Monopoly," *Quarterly Journal of Economic*, 1971.

訊息費用高深複雜，我選擇集中在以物為本的途徑考查。物品可以拿在手上，有憑有據，而我在玉石市場的考查有稱意收穫的經驗。更重要是我要知道市場怎樣處理訊息費用，從物品的訊息入手是一個清晰的好去處。

第八章：訊息費用與市場應對

訊息費用是交易費用的一部分，好些時二者分不開——我在《收入與成本》第八章解釋過了。有些訊息費用不是交易費用：在魯濱遜的一人世界交易費用不存在，但可以有訊息費用：魯兄跑到山上遠眺，試圖預測天氣，要付代價。

第一節：以物為本論訊息

經濟解釋或行為推斷需要掌握可以觀察到的有關局限轉變。一般而言，處理交易費用的局限轉變遠比處理生產成本的局限轉變困難，而在交易費用中，處理訊息費用是最困難的了。經過多年的探討，我認為後者困難主要起於人與人之間的訊息傳達往往不盡不實，牽涉到隱瞞與欺騙等行為。訊息值錢，可以值很多錢，可靠訊息的獲取可以是大投資，你要知道，為什麼我要免費告訴你呢？我們要怎樣衡量訊息的可靠性呢？要怎樣算訊息本身的市價才對？

不久前一位朋友給我看一個乾隆時期的瓷瓶。我細看後說是乾隆後期的珍品，是難得一見的官窰。我可能看錯，但我是依我知道的直說。然而，如果靠買賣古瓷為生計我可能說另一番話。我不是專家，也不懷疑一些專家可能說是民國時期的仿製品。鑑證不容易，容易有問號，而憑什麼才算是專家呢？

經濟學上的訊息不對稱理論的盛行，始於上世紀七十年代初期。一九七五年我到香港度長假，行前對同事巴澤爾說要到香港考查玉石市場，因為認為這市場可以提供資料，解釋為什麼巴兄和我皆認為訊息不對稱的理論是謬論。後來巴兄一九七七年發表了一篇跟該理論過不去的好文章，可惜不易讀。他曾經要求我聯名發表，但文章他寫好了完整的初稿，我只跟他研討過，貢獻甚微，沒有理由叨他一半的光。後來我知道他為這件瑣事耿耿於懷。最近為了寫這章，我要求巴兄傳來他的舊作，再讀，果然還是好文章，但大家分道揚鑣那麼多年，我今天對訊息問題的看法是換了好些角度了。

從玉石到收藏品

當年選擇考查玉石市場，因為聽到香港進口的緬甸玉石，稱翡翠，首次出售時往往是原石不開，購買者要從石皮的外表猜測石內的玉質，猜錯的機會大，因而有人靠幸運發達，有人猜錯輸清光。把原石切開真相大白，為什麼不先切開才出售呢？為這個問題一九七五年我在香港廣東道的玉石市場考查了幾個月。玉石怎樣看真的難學，今天我還是不懂，但得到了我要知道的細節，找到了答案，會在本章第四節詳述。

考查玉石的經驗讓我想到從物品的特徵研究訊息費用。這種費用問題多而複雜，以物品為本入手應該是最容易有收穫的門徑了。我選訊息費用高而又變化多的物品入手。這就帶到收藏品的研究，尤其是那些作者謝世、真偽難辨的物品。中國開放改革以還，推土機到處操作，加上什麼盜墓的，出土的文物無數。走馬看花，我考查過的訊息費用高的物品類別可真不少。二〇一〇年在上海的一個收藏家協會講話，我以《倉庫理論》為題，直言自己不是任何收藏品的專家，但因為經濟研究的需要，我考查過的類別多而雜，每類知一點，但包羅萬有。

同學們明白嗎？訊息費用高深複雜，我選擇集中在以物為本的途徑考查。物品可以拿在手上，有憑有據，而我在玉石市場的考查有稱意收穫的經驗。更重要是我要知道市場怎樣處理訊息費用，從物品的訊息入手是一個清晰的好去處。然而，不同類別的物品市場的處理方法往往不同，所以多而雜的訊息費用高的物品我或多或少總要涉足一下。

第二節：三位大師的訊息經濟觀

第一篇重視訊息費用的重要文章是科斯一九三七年發表的《公司的性質》。他稱之為交易費用，其實主要是訊息問題：不知價，所以公司替代市場。我把這話題帶到合約選擇那邊去，說不是公司替代市場，而是一種合約替代另一種，是卷四《合約的一般理論》的話題了。

第二篇重要的是哈耶克一九四五年發表的《知識對社會的用途》，是哈氏的代表作。簡言之，該文說市場是把所有人的各自所知集中運用，遠比計劃經濟的一小撮策劃者知得多。這是說，市價包含着很多人的知識，以之指導資源的使用會遠比政府的策劃來得可靠。這裡有兩點哈氏當年沒有注意。其一是因為訊息費用的存在，市價可以誤導。其二是從中國經濟改革的經驗看，在某些合約安排下，政府的策劃可以節省交易或訊息費用。後者也是卷四的話題。

弗里德曼的補充

在哈耶克的觀點上，我欣賞弗里德曼的補充。弗老對我說：如果在一塊石上可以種出美味的水果，假若這塊石屬公有，沒有誰會種植，也不會趕着去通知政府，然而，石塊私有水果會種出來。為此我再作補充：不管擁有該石塊的人怎樣守秘，只要他把美味的水果在市場出售，消息會傳出去，石塊上可以種出水果珍品的訊息早晚會傳遍天下。一八四八年美國加州出現的尋金熱，是源於一個人在某荒地拾得一金塊，拿出來在酒吧炫耀，被外人秘密跟蹤，地點發現了，消息傳開，三十萬人從遠方湧至，加州就是這樣發展起來。這些不速之客有不少來自中國的台山，"舊金山"這個名字是他們起的。

施蒂格勒學究天人

再跟着而來的關於訊息費用的重要文章是施蒂格勒一九六一年發表的《訊息經濟學》。我當時剛進研究院，有機會聽到他親自到母校解說該文。六年後施兄成為朋友，他敏捷絕倫的思想使我震撼。認識他之前我喜歡背誦他的文章，認為他的英語文采冠絕行內：弗里德曼幾番對我這樣說，到今天我還是那樣看。施兄才高八斗，學富五車，赫舒拉發認為是他見過的最聰明的人。經濟思想史的學問，古往今來沒有誰比得上施兄。在芝大時我還是喜歡長駐圖書館，在館內頻頻遇到他。他早就大名遠播，在芝大有呼風喚雨的權力，但還是日夕不倦地為學問而追求，對當時剛出道的我有深遠的影響。提到這些，是要讓同學們知道下面我批評施氏的訊息分析不代表我不敬重這個人。我恨不得自己能有施蒂格勒的學者風骨，感激他對我的教誨與鼓勵，也希望同學們能多讀他的文章。

施蒂格勒說因為市場有訊息費用，同樣的物品其市價有變差數（variance，即方差），所以購買者會在市場找尋，而物品愈值錢，購買者付出的找尋費用會愈高。購買貴重物品會多花時間或費用找尋當然對，但我曾經指出，市場物價的變差數是顧客找尋的結果，不是找尋的原因，施兄是本末倒置了。市價有變差數大家都知道，但不知道此數為何。如果大家知道變差數為幾，此數會下降。如果大家知道變差數中的最低價為幾，在競爭下此數會下降為零。如果一個人找尋開始幾次碰巧遇到此數變化大，他會多找尋，反過來他會少找尋。這些及其他變化會帶來不少博弈理論的玩意，但我的取向是問變差數的或大或小由什麼決定，而市場會怎樣處理——這就是我要以物品作為研究調查出發點的一個原因。除了解釋現象，我對經濟學沒有興趣。

顧客會在市場找尋是事實，同樣物品的市價有變差數也是事實。每個顧客按着自己的所知，花了他們各自認為是不要再多花的找尋費用，買或是不買，市價的變差數就被決定了。變差數的存在反映着訊息費用的存在，也反映着通過市場的運作處理來決定這個數的大或小。

法例左右誤導研究

我要指出在西方，尤其是在美國，可能因為風俗習慣，更可能是因為政府法例對消費者的保護，市場的物價變差數一般沒有像香港及中國內地那麼大。一九六四年，我向老師阿爾欽提出在密集競爭下有討價還價的行為，他不相信，我要幾次申述。是的，好些市場現象在美國不是調查研究的好地方。法例的局限可以誤導訊息費用帶來的現象。我不是說消費者不應該受到保護——這類問題我沒有興趣——而是要考查訊息費用導致的行為現象，政府法例的影響愈小愈好。我認為施蒂格勒對覓價與價格分歧的處理屢有失誤，是因為他觀察到的現象是被交易或訊息費用之外的法例局限擾亂了。

一九六九年我對美國的同事說要到香港研究件工合約，他們認為我的主要目的是度假。我沒有向他們解釋：上世紀三十年代的美國，因為法定的最低工資夠高，跟件工工資有衝突，在工會壓力下，件工合約在多個行業被政府定為非法。我們怎可以在美國調查件工合約呢？有幾位美國行家發表過件工合約的文章，但我認為他們因為不知細節而作出令人尷尬的分析。今天的美國，在保護消費者法例的影響下，好些商店說明顧客購買了某物品後，如果能在其他商店發現同樣物品價格較低，拿出證據，原先的商店會退還價差。這樣，同樣物品的市價變差數會下降，但不是因為訊息費用下降了。

第三節：以人為本的訊息不對稱理論

訊息不對稱（information asymmetry）是小孩子也知何解的大術語：解作每個人各自知道的訊息不同。某些事你知得比我多，某些事我知得比你多，就是訊息不對稱了。這是以人為本作為研究分析的出發點，然後帶到市場物品或生產要素那邊去。不容易有收穫：以人為本跟市場物品有了分離，不容易考查訊息費用的局限轉變。

訊息費用是訊息傳達費用

這裡有一個有趣的觀察：說訊息對稱是說訊息費用的存在或不存在皆不會影響人的行為！如果所有的人都是無所不知的天才，即是說訊息費用是零，我們是無從以其轉變來推斷或解釋行為的。如果所有的人都是一無所知的蠢才，即是說所有人的所有訊息費用皆高不可攀，那麼在競爭下適者生存，不適者淘汰，生存的適者不會被訊息費用左右着他們的行為。如果所有的人既非天才也非蠢才，只是大家知道的每個人都一樣，於是沒有人會隱瞞，沒有人會行騙，每個人會按着自己的比較優勢成本生產，按着自己的需求購買，知識一樣，學問相同，訊息有變大家一起知道——這樣的世界可能是個烏托邦，但人類知識或訊息的轉變只是代表着生產資源的局限有變：本章分析的訊息費用可沒有變，因為那是指人與人之間的訊息傳達費用——所有人掌握着的知識或訊息一樣，是沒有什麼訊息還需要傳達的！

經濟學要處理的訊息費用是交易費用其中一種，只在社會存在，因而是人與人之間的訊息傳達費用。然而，説過了，以人作為分析的出發點既不容易知道也不容易理解這種訊息費用起自何因。我的取向是以物為本入手。另一方面，以人為本的訊息不對稱理論也有趣，牽涉到不少名重一時的經濟學者，我們不應該漠視。

檸檬市場與葛氏定律

起自阿羅一九六三年的思維，第一篇關於訊息不對稱的大名文章是 G. Akerlof 一九七〇年發表的《檸檬市場》(The Market for Lemons)。檸檬的表皮光澤可愛，但內裡酸得不能入口。這好比我們明朝的劉伯溫寫《賣柑者言》提到的"金玉其外，敗絮其中"。西方的文化以檸檬代表着外表好看但其實是質量低劣的物品，購買的人容易上當或中計。

作者提出的主要例子，是舊汽車市場。出售二手舊車，車主對車況比考慮購買的人知得多，這就是訊息不對稱了。跟着的推論是：舊車市場檸檬貨多，皆金玉其外，顧客一般知道，所以一般賣不起錢，於是，明知自己的舊車性能上佳的車主，除非要離鄉別井，不想把珠混魚目，不會把優質舊車混合在滿是檸檬貨的舊車市場以賤價出售。另一方面，檸檬貨充斥舊車市場，顧客願意出的價可能愈弄愈低，原則上可以推到舊車市場不存在。

奇怪沒有人指出，Akerlof 的檸檬市場分析其實是故老相傳的英國十六世紀貨幣觀中的葛氏定律(Gresham's law)的新版本：劣幣把良幣逐出市場變作劣舊車把良舊車逐出市場。我曾經指出葛氏定律是謬論。理由如下：雖然葛氏沒有說明，但後人指出劣幣驅逐良幣需要劣幣與良幣之間有一個固定的兑換率，否則兑換率的變動會讓優、劣二幣共存。我說固定的兑換率不足夠，因為在市場購物可以討價還價，提供劣幣的要付固定兑換率之外較高之價，而提供良幣的則可大手壓價。這是說，不管兑換率怎樣固定，市場的同樣物品，使用良幣與使用劣幣的相對價格才是真正的良、劣二幣的兑換率。我曾對希克斯（J. Hicks）解釋，如果十六世紀英國真的出現過劣幣驅逐良幣，那麼當時的英國人一定是很蠢的。但英國是個大智大慧的民族，所以劣幣驅逐良幣應該沒有出現過。正相反，良幣驅逐劣幣人類歷史屢見不鮮。一九四八年在廣州，市場的取向是收港幣，不收當年貶值得快的金圓券。中國開放改革初期，名牌賓館指明收外匯券，不收人民幣。這是說在有訊息費用的市場波動下，劣幣會被良幣淘汰，推翻了葛氏定律。這也是說，在物價比率上訊息費用奇高的物品不能成市，而貨幣是所有物品中對訊息費用最敏感的。

起點不同結論相反

說訊息不對稱是說人與人之間的訊息傳達有不盡不實的困難。細微地看，金玉其外的檸檬市場所在皆是：包裝粉飾是市場的一般取向，而廣告一般信不過小孩子也知道。說舊車的車主對車的性能比顧客知得清楚是對的，而說顧客不容易相信舊車主的誇誇其談也對——瞞騙是訊息費用不菲的一個原因。這些行為會把舊車之價壓下去，但問題是，舊車市場真的像Akerlof說的，劣質舊車會把優質舊車逐出市場嗎？不會的：原則是，哪種舊車的質量的訊息費用在市價的比重上愈高，愈會先遭淘汰。這樣排列，新車會淘汰舊車，而舊車中優質的會淘汰劣質的。

觀察所見，舊車市場舉世皆是。沒有遭淘汰是因為舊車的市值夠高。瞞騙歸瞞騙，因為提供舊車的可靠訊息有利可圖，專家會出現：舊車的代理商在檢查車況後，稍作修理會提供擔保，而懂車的修理專才會收費提供意見。另一方面，如果舊車賣不出去，新車賣不起價，因此汽車的製造商重視耐用與容易維修保養——即是説製造商會設計減少檸檬的酸度。

鑑證舊物的專家的出現要講舊物值錢。你和我家中的無數舊物，一般不值多少錢：訊息費用在比重上高，沒有專家鑑證，所以沒有市場。但稱得上是收藏品的舊物，例如舊書畫、古瓷器之類，因為成為財富累積的倉庫，很值錢，訊息費用奇高也有專家鑑證。

我們難以明白為什麼 Akerlof 選擇以人為本作為分析檸檬市場的起點——即是以買家、賣家的訊息不同出發。如果不這樣，訊息不對稱理論不會那樣名盛一時。但檸檬與汽車皆物品，我會選擇以物為本，從而直接地帶到專家與市場應對這些方面去。有趣的是，以人為本跟以物為本的分別，邏輯上竟然推出相反的結論。以人為本，劣舊車把良舊車逐出市場——是葛氏定律的新版本。以物為本則倒轉過來：因為劣舊車的訊息費用在市價的比重上較高，會先遭淘汰。

阿羅的有趣觀察

其實，訊息不對稱這個理念起自阿羅（K. Arrow）一九六三年發表的《風險與醫療保險的福利經濟》，雖然他沒有用上“不對稱”這一詞。阿羅的數學天賦冠於行內，但自己少用數。我認識他，很多時不同意他的分析，但衷心拜服這個人。從純理論的變化衡量，整個二十世紀只有費雪比得上他。

阿羅的醫療文章很長，變化多，複雜無比。任何牽涉到保險的話題皆複雜，何況牽涉到有關人命的醫療市場。這裡我只能就阿羅提出的兩項訊息不對稱説幾句。其一是身體健康這回事，冷暖自知，購買保險的人比出售保險者知得清楚。這會導致不利的選擇（adverse selection），即是説出售醫療保險者遇到的顧客是偏於身體欠佳的。效果如何，市場會怎麼應對是大話題，我不敢沾手，這裡從略了。但我禁不住要提出阿羅文內的一個關於中國的有趣註腳，我沒有聽過，不知同學們可否證實。那是註腳三十五，寫道："很多人相信，曾經有一個時期，中國人健康時給醫生錢，但生病時不付。"阿羅是為了支持一個看法：醫療保險是購買健康利益，沒有利益不應該支付。但他忘記了一點：生病時不付診金，病人豈不是死得更快？我不能排除生病不付醫生錢這個不無道理的看法，很想知道中國是否真的曾經出現過這個傳統。如果出現過，我要知道細節。

阿羅提到的跟訊息不對稱有關的第二點，是道德風險（moral hazard）。不是他首先提出，但得到當時聲望如日方中的阿羅下筆處理，道德風險之説就變得流行了。道德風險是説購買了保險的人不再會那麼小心謹慎，例如買了火險不會那麼小心防火，甚至自己縱火來賺取保險的賠償。醫療保險也如是：有了保險依靠的人或會減少注重健康，或動不動找醫生看病。阿羅指出在美國，醫療保險在政府大手推行下，醫療費用是大幅上升了。阿羅可沒有説，資料顯示，醫療費用大幅上升主要是因為保險賠償的打官司律師費用大幅上升，水出魚，魚飲水，加進了醫療收費那邊去。

同意凱恩斯批評馬歇爾

很不幸，在上世紀六十年代——今天也差不多——經濟學者的興趣主要是經濟效率這個話題，即是帕累托條件是否被違反了。尤其是阿羅，他對市場的運作在多種情況下不能達到帕累托至善點的看法觸發了大爭議。得到科斯提出的交易費用的啟發，當時反對阿羅表達得最清晰的是德姆塞茨（H. Demsetz）。一九七四年在《價格管制理論》一文中，我把交易費用推到盡，指出如果所有局限條件都算進去，違反帕累托至善點是不可能的。更為詳盡的解釋可見於《收入與成本》第八章。

這裡含意着的是我和行內朋友對經濟學的看法有分離。我認為作為一門科學，經濟學的主旨是解釋世事，是好是壞，或怎樣可以改進社會民生，不應該是經濟學者的責任。經濟學可以準確地推斷一項政策會有什麼效果，執政的人會否接納是他們的選擇。經濟學者不能改進社會，過於操心不會活得久——雖然為了貧苦人家的生活我有時發牢騷。我同意凱恩斯批評馬歇爾，說後者過於熱衷做好事。施蒂格勒也這樣批評過弗里德曼。

提到價值觀，因為阿羅一九六三年的大文來來去去是環繞着帕累托。他想像力強，變化多，推理巧妙，但沒有着重於醫療保險帶來的多種市場變化，沒有推出假說然後加以驗證。保險市場是大難題，醫療保險與醫療市場是難上加難的。如果阿羅當年能把他的天賦集中於解釋這些市場的運作，今天的經濟學會有另一番景象。

炎黃子孫發放訊號多

阿羅之後，《檸檬市場》發表於一九七〇，跟着阿羅的學生 M. Spence 一九七三提出訊號（signaling），薩繆爾森的學生 J. Stiglitz 一九七五提出過濾（screening）等熱鬧分析。後二者主要用於僱主與被僱的勞力或員工市場，所以起筆就把問題放在以人為本的框框內，不容易像檸檬或舊車那樣可以直接地從以物為本的角度看。訊號與過濾二者的推理大同小異，只是前者由找尋工作的人發放訊號，後者由僱主審查過濾申請工作的人的本領訊息。這裡略談比較熱門的訊號理論吧。

對於僱員的職業本領，僱主與僱員所知不同——這是訊息不對稱了。多個求職者提供自己的履歷資料，例如是某大學的畢業生，是訊號。這訊號可能導致員工之間的收入分配不同，但員工的總產量不會因為這訊號而增加。爭取大學畢業是成本不菲的投資，但為此而作出不會提升生產力甚至可以誤導的訊號，是社會的浪費。當然，訊號理論的分析可以很複雜，但大概是這樣說。

我要指出在香港及中國內地，個人的名片可以印得名頭多多（西方很少見），是訊號，而我們不能排除欺騙的行為。訊號理論說的是老實人，也可以誤導，不老實的當然會給社會帶來另一些“浪費”了。多年前我知道有一個人，多富有我不知道，但出入用勞斯萊斯汽車，有穿上制服的駕駛員，也有女秘書拿着公事包亦步亦趨，據說跟別人談生意或到銀行借錢這樣的排場會有較好的效果。排場也是訊號。

三十年有新看法

這裡我要推薦同學們細讀巴澤爾（Y. Barzel）一九七七年發表的關於訊息費用及一九八二年發表的關於量度費用這兩篇文章（可在網上找到），其中包括了我當年對量度的看法與訊號分析的批評的一小點貢獻。那是三十多年前的往事，這裡我要加進自己的新看法。有兩點。

第一點是我不明白為什麼訊息不對稱的理論與合約理論雖

然往往相連，但訊號分析只考慮時間工資合約。如果所有生產活動皆以件工合約從事，員工提供的履歷訊號無關宏旨！當然好些生產活動件工合約的交易費用過高，沒有被選擇，然而，因為原則上有件工合約的選擇，訊號傳達帶來的浪費不會高於時間工資與件工工資的交易費用的差別。另一方面，除了件工合約，僱主與僱員還有分成、分紅、獎金或以個別工程算等合約的選擇可以考慮，訊號誤導帶來的"浪費"也要以這些其他合約可以減低訊號費用來衡量。這樣考慮，會從以人為本轉到以物為本那邊去。

第二點是適者生存不適者淘汰的競爭市場。一個頻頻被僱員訊號誤導的老闆，在競爭下會被市場淘汰，而一個妄作投資於提供訊號的求職者，也會遭市場淘汰。大家見到投資於發訊號而遭淘汰的例子不少吧——我在上文提到的以勞斯萊斯充排場的老闆，不到一年就遭淘汰了。要是我們不管淘汰帶來的"浪費"，適者生存的老闆與員工的行為必會滿足傳統關注的帕累托至善點。

我不同意傳統的帕累托觀四十多年了。帕累托觀是基於在不能避免的局限下達到的至善點。假設每個人在面對的局限下爭取自己的利益極大化，帕累托條件或至善點怎可以被違反了？說人自私是說爭取利益極大化，這不僅包括對社會有貢獻的行為，也包括瞞騙、盜竊等。我說過，如果社會的每個人皆遵守《聖經》寫下的十誡，社會會比我們生存着的富有，或大家會有較高的收入。可惜人是人，《聖經》有十誡是為了減低交易或社會費用。我們不能沒有矛盾地假設每個人爭取利益極大化，而又希望每個人只作對社會有益的事。這裡我又要同學們參閱《收入與成本》的第八章了。

以人為本的訊息不對稱理論沒有什麼解釋用場。本節起筆時說，訊息費用是人與人之間的訊息傳達費用。說人與人之間的訊息不對稱只不過是說訊息費用的存在會影響行為。訊息費用是一種局限，以之解釋行為我們要知道在怎樣的情況下這種局限會怎樣轉變。這是為什麼我選走以物為本的考查路向了。

第四節：翡翠玉石的市場現象

說過了，作為實證科學（empirical science），經濟學的實驗室是真實世界。這實驗室很難用。雖然有學者嘗試過，但一般而言，我們不能像自然科學那樣在實驗室調控驗證條件（test conditions），即是經濟學說的局限條件（constraints）。經濟學者難以在真實世界調校那些影響人的行為的局限條件的轉變。我們要在真實世界找到一些有趣或有啟發性的局限轉變，考查其他局限有沒有相連的關係，推出假說，然後用可以觀察到的現象或行為把假說驗證。

考查局限轉變麻煩，確定行為的轉變也麻煩。很多時，微小的現象轉變不會像自然科學的實驗室那樣可以量度得準。這解釋了為什麼統計學在經濟學的用場遠比自然科學來得普及。原則上，統計學的回歸分析（regression analysis）可以算出肉眼不容易察覺的因果關係。問題是回歸分析不可靠，容易欺人也自欺。我花過幾年時間操作這玩意，到後來還是認同一些專家朋友的話：這種統計的結果往往不可靠。這裡要解釋清楚：明顯清晰的因果關係是用不着以回歸統計來證實的，雖然以這些技術表達較為可觀，也較為容易被學報取錄。但我們要知道的是真理。因果關係，假若微小得不容易看出來，要靠回歸統計才能表達，是要想辦法避免的。

選誇張實例是上策

因而我喜歡找誇張的實例作為研究考查的材料。好比四十多年前要考查租金管制帶來的效果，我到香港從事。當時租金管制很多地方都有，但管制着的租金只比市值租金低十多個百分點，不夠誇張，效果如何靠統計分析容易中計。另一方面，上世紀六十年代，在租管下，香港戰前舊樓的市值租金比管制着的租金高出十倍以上。誇張的管制會導致誇張的現象，有說服力的推理驗證容易多了。該租管帶來的誇張現象讓我在一九七四年發表今天看有機會傳世的《價格管制理論》。

以物為本考查訊息費用對行為與市場的影響，我當然選訊息費用高得誇張的例子。一九七五年我選中產自緬甸的翡翠玉石，跟着到香港九龍的廣東道考查——那是當時舉世最大的翡翠市場了。翡翠產品是現代之物，訊息費用奇高，後來知道古文物及古書畫等的訊息費用更高，八十年代中期起轉到古物的考查。本節說玉石，第六節說古物。

翡翠的特徵

翡翠是獨石，不是從一個石礦切出來，而是一塊一塊挖掘出來的石頭。在泥土中埋藏了無數個世紀，必有石皮。獨石不罕有，翡翠的石皮比較厚，一般不通透，每塊從數兩到數百斤不等，而以市價高低論質量這種獨石的或大或小沒有決定性。

翡翠獨石有個性：獨石無數，內裡的玉質特徵沒有兩塊相同。舉個例：你隨意選十塊翡翠獨石，每塊取出二十粒同樣大小的玉珠，把合共二百粒玉珠胡亂混雜，一個懂翡翠的專家可以把十份二十粒玉珠分開，各歸各的，跟原來的十塊獨石的出處吻合，不會出錯。太多的獨石這樣切碎後各歸各地再組合會有困難，但不同的玉件是否出自同一翡翠獨石專家不難判斷。

有個性是翡翠值錢的其中一個原因：某女士擁有的翡翠手鐲不僅好看，除非同一獨石還造出其他相似的手鐲，該女士擁有的是天下獨有。

翡翠獨石多如天上星，重量以噸數計，但指環鑲着的一粒蛋面精品，以重量算其市價可以高於上佳的鑽石。跟着推下去的色澤、玉質、瑕疵等變化無數，到最低質的一粒同樣大小的蛋面之價跟一個漢堡包差不多。後者算是有市價，不俗，而絕大部分的翡翠不值錢。只看值錢的，同樣大小，超過十萬倍的價格差距是怎樣決定的呢？是由誰決定的呢？說是由市場決定，那當然，但市場是憑什麼作這決定呢？

專家與市場

一九七五年調查玉器市場時，我嘗試拿着十隻不同的翡翠玉鐲，普通貨式，找五個專家各自替我排列市值的高下。他們的估價有差別，同一玉鐲最大的差距約一倍，但十隻的價值高下排列五個專家近於完全一樣！這可見翡翠的個性與特徵專家可以鑑別，而每個特徵的微小變化帶來的市價轉變，大致上專家之間互相認同。沒有專家，翡翠玉石難以成市。

同學們不妨考慮如下的觀察。美觀的石料有多種，沒有哪種比得上翡翠那麼值錢，雖然這些年和田白玉之價也上升得急。和田玉的特徵變化遠沒有翡翠那麼多而複雜，訊息費用沒有那麼高，因而遠為容易學得懂。有些準寶石，例如瑪瑙，非常漂亮，但不值多少錢。翡翠玉石可以入色，即是玉真色假，而入色的很好看。我看不出，賭你也看不出，但專家可以一望而知，用不着拿到什麼化驗室去。因為有專家的存在，真色與假色之價相差約二百倍。

要成為翡翠專家是大投資。這些專家通常出自家族傳統，從小天天看，下過賭注，輸過錢。專家有多個層面。最低層應該是街上的翡翠小販，而最高的是頻頻賭石有斬獲的人。賭石是指購買獨石原件，因為有不透的石皮，看不到石內的玉質，只憑幾個小小的淺“水口”與電筒觀察來下注。指導原石要在哪些位置開水口的人也是頂級專家，收費不菲也。當然是選專家認為是最可觀的位置。

翡翠是清代中葉才從緬甸傳入中國的。炎黃子孫有數千年的愛玉傳統。從乾隆到今天的二百多年，中國的翡翠市場雄視天下。玉石之價急升時專家一般賺不少錢。

翡翠值錢是因為有專家鑑別特徵與質量，而特徵與質量的孰優孰劣卻是市場消費者或收藏者的取捨使然。從個別例子看，專家的推薦有影響力，但專家的判斷是受到市場需求的指引。有兩點足以示範市場需求的影響力。其一是不同地區有不同的取捨：菲律賓與馬來西亞對翡翠的色澤喜好跟中國的有別，不同色澤的相對價格因而不同。其二是同樣在神州大地，不同年代選擇有變。論翡翠，中國人愛綠色，但我母親那一代愛的綠是明顯地比今天仕女愛的綠為深。中國人愛翡翠通透，但我母親那一代遠沒有今天那樣重視通透：一種毫不通透的“綠豆青”翡翠，其相對價格我母親那一代比今天高很多。

市場提供消費者的需求訊息，專家們把這些訊息引申到翡翠玉石千變萬化的特徵去，按市場的需求把這些特徵變化導致的價格變化加以釐定。一般而言，石以黃為貴，但翡翠中國人喜歡綠，是獨石之內的礦脈，不多見，而綠得適度、通透、搶眼、無瑕等合併極為稀有。不是以稀為貴那麼簡單：黑色也少見，但有小黑點或略呈黑色，價必暴跌。四十年前，通常是近於石皮的黃色不值錢，但今天黃色配合得宜也有可觀之價。

訊息投資與隱瞞訊息

專家能鑑別特徵的微小變化與互相認同是翡翠產品有龐大市場的主要原因。頂級的專家不僅要講一點天賦，日夕地操作二、三十年是慣例。這些專家所知的遠超翡翠小販，主要是因為前者頻頻見到高檔次的翡翠，而小販從事多年不一定有機會拿到一件珍品細看。專家因而有多個層面。我在上文提到專家給玉鐲估價可以相差一倍，主要是因為五個之中有四個不專於玉鐲生意。是的，玉鐲、玉珠、蛋面、掛件、擺件等，專業不同對市價的判斷有出入，但玉質孰高孰低專家們的看法是一致的。

動不動十年以上的時間投資，專家知道的翡翠知識值錢。投資要有回報。我是專家，你不懂，為什麼我要免費教你呢？有好些方面我可以免費傳授，但牽涉到自己的切身利益我會保留，甚至對你說假話。你是沒有生意關係的朋友，或是我的顧客，或是要供應玉石給我，又或者是行內的競爭購買翡翠原石的人，我給你的關於翡翠的訊息傳達會不同。

欺騙與誇張常有，但我重視的是隱瞞的行為。當年在廣東道，議價購買翡翠玉件，價值較高的，見有別人在旁，購買者喜歡用毛巾把手掩蓋着，在巾下與出售者用手指相交討價還價，因為購買者不要讓外人知道他出的價是多少。

廣東道的拍賣

最精彩莫如當年的翡翠原石拍賣。原石有不通透的石皮，只有幾個賣家選擇磨出顯露少許玉質、以蠟拋亮得美觀的水口。賣家刻意地隱瞞訊息：水口的位置是專家認為玉質表現最佳的地方。一個水口選錯，原石之價可能大跌，要不要再多開水口是賣家付錢給專家的選擇。把整塊原石切開才出售會真相

大白，但通常原石的賣家不會那樣做，因為他認為只提供幾個小水口賣價會較高。有些人認為把原石切開會破壞其後的產品製作，但我的調查否決了這觀點：任何翡翠產品都有專家，知道怎樣切開才對。

與今天相比，昔日廣東道的原石拍賣是小拍賣，出價與還價皆在毛巾下以手指從事，是買家的要求，因為不同的買家專於不同的玉件產品，而不同的原石有不同的產品用途，買家不要讓他的知識在出價中給競爭者知道。我在《供應的行為》的舊版中有如下的描述：

廣東道的玉石原件拍賣令人嘆為觀止。是四百平方呎左右的小室，中央方桌一張，沒有椅子。地上放着二、三十個籃子，每籃之內載着一至五、六件原石，每件都有少量水口。室內有幾枝吊燈，讓顧客在拍賣前以燈光照射來猜測石內之質。大約有兩天的時間給顧客這樣審查，拍賣時是以每籃子內所有的原石算一價。

在拍賣官的身後有一間僅可容身的小房子，有布簾，賣主藏身其內。一輪出價後，拍賣官轉身把巾下的手伸向小房子。布簾伸出賣主之手在巾下與拍賣官的相觸。大家不説什麼，但觸手的時間比較長。拍賣官在巾下傳達給賣主的訊息，是顧客所出的高價為幾，不同顧客出價的差距大小，以及拍賣官認為應該賣或再作第二輪競投的意見。賣主的回應也在巾下傳達了。要是決定出售，拍賣官叫出價高者的名字，這價高者不能反悔。

一般來説，如果第一輪競投有幾位高價的價格相近，第二輪競投同一籃子是必然的。凡起一輪重投，舊一輪的出價皆作廢。那是説，只要拍賣官沒有叫你的名字，你在重投時所出之價可以低於早輪的。第二輪的巾下出價比較慢，拍賣官常叫觸手者出高一點，是有議價的性質了。第二輪過後，拍賣官又再轉身與賣主的手在巾下相觸。

在我參觀過的兩次上述的玉石原件拍賣中，每籃平均大約有三輪巾下觸手。任何一輪之後，一叫人名就賣出，賣出後之價是要公布的。賣不出就把籃子搬開。拍賣完畢後賣主請所有在場的人晚宴，是慣例。沒有人認識我，這種晚宴我魚目混珠地吃過一次。

今天，翡翠原石的拍賣，因為參與的人太多，再不能用以毛巾掩手之法了。轉為用填表投標，投暗標。

第五節：玉石市場的三個定律

選擇翡翠考查訊息費用是選一個誇張例子。選對了。在那複雜無比的微小變化導致的訊息費用奇高的情況下，以物為本入手讓我們看清楚市場是怎樣形成、怎樣運作的。翡翠品種變化多，量大，其價從高於鑽石下降至與漢堡包看齊，而大部分的翡翠是一文不值的。市場出現了一群大家互相認同的專家，是翡翠成市的需要條件了。

訊息費用，從交易費用的角度看，是人與人之間的訊息傳達費用。一方面，市場的競爭會減低訊息費用；另一方面，隱瞞訊息或欺騙的行為會增加訊息費用。以翡翠為例，不隱瞞訊息專家的出現不需要那麼大的知識投資。例如把翡翠原石切開才出售，不需要看石皮猜石內之質，要成為一個頂級翡翠專家可以節省十年八載。

我們要明白沒有大量專家的存在不會有今天大家見到的龐大翡翠玉石市場，不會有那麼多的太太小姐盛裝招搖過市，也沒有那麼多的君子看得那麼開心。然而，沒有回報不會有那麼多人花那麼多時間與精力投資於翡翠學問。隱瞞訊息有利可圖，是翡翠專家出現的一個原因。

一九七五年從西雅圖到香港考查翡翠市場之前，我對同事巴澤爾說有機會推出一個玉石定律（Jade Theorem）。二〇一一年巴兄的一位朋友（John Wallis）在上海與我相聚，竟然問：玉石定律找到了沒有？他們還記得，是多麼尷尬的事。是四十一年前我開始找尋這定律的，不是不停地想，而是久不久想一下。因為玉石市場有訊息費用的存在，這些市場當然會出現一些沒有訊息費用不會出現的規律。我的困難不是找不到這些規律，而是找到的規律太多，不容易簡化為一些有綜合性的。再者，我要把這綜合起來的定律增加其一般性，帶到所有藝術及文物收藏品那些方面去。二〇一六年六月我苦思幾天，終於想出三個有一般性的玉石定律。這裡說的玉石是指產自緬甸的翡翠。三個定律如下：

玉石三定律

定律一：有獨特個性是翡翠值錢的一個原因。地球上美觀可愛的石料無數，翡翠玉石是每件原石有其獨特之處，而石與石之間變化多。說獨特，是指有個性。一位女士戴上一小翡翠飾物，除非是遇上出自同一石件，她不需要擔心有另一位女士戴着另一件相同的。從藝術收藏品的角度衡量，說一個藝術家的作品有個性是說有獨特的風格。翡翠有個性，加上每件原石各各不同，其變化於是無窮無盡。收藏藝術作品的老手一律知道，美觀之外，有個性及變化多是收藏藝術品值錢的一個黃金定律。這是人類的選擇，究竟是天生使然還是後天培養我不管。翡翠受寵和一個有大成的藝術家的作品受寵是有着同樣的規律。換言之，所有收藏品都要有獨特個性才值錢。

定律二：隱瞞有價值的訊息會增加訊息費用。翡翠玉石變化多，因而提升鑑證的困難，也即是提升訊息費用。重要的相關問題，是能夠掌握玉石的市場訊息值錢，而有了這掌握的專家，為了要維護自己的利益，會選擇性地隱瞞訊息。例如出售翡翠原石的人選擇不把石塊切開，而購買者選擇在毛巾掩蓋之下用手指議價。這些為了自利而隱瞞訊息的行為會增加本來已經是遠比其他市場物品為高的訊息費用。在不同程度上，其他藝術收藏品的市場也如是，何況造假這回事，藝術作品比玉石容易。造假是隱瞞訊息的一種替代手法。

定律三：翡翠價值是訊息投資累積的結果。沒有鑑證專家翡翠玉石不值錢。邏輯說，從昔日翡翠市場起步的一段短時日看，翡翠的市值全部是專家花時間投資於鑑別翡翠的真假與優劣的費用。即是說翡翠的市值等於鑑別的費用。這鑑別當然是以市場的取捨為依歸。發展下來，一代一代的訊息知識的傳授，以往的訊息考查投資再不是成本，而是前人留存下來的訊息給今天的翡翠玉石帶來的租值。今天學鑑別的雖然不容易，但傳統的訊息或知識的累積會給今天的翡翠玉石帶來市值高於專家的訊息投資，而二者的差距就是翡翠的租值了。換言之，今天的玉石訊息投資只是在邊際上與玉石的升值相等。

這第三定律有其他收藏品的支持。中國的舊書畫等藝術或文物收藏品的訊息與鑑證，我們可以見到前人的訊息投資增加了今天的舊書畫的市值。這古老相傳的租值增加可見於書畫中的前人收藏或鑑賞印章，明顯地協助了增加舊書畫的今天市值。雖然假印章不罕見，但專家可以分辨。

第六節：藝術收藏與拍賣現象

元代畫家黃公望（一二六九——一三五四）老年時畫的長手卷《富春山居圖》，我今天給該畫的估值約五十億元人民幣（以五厘折現率及看一眼的入場費算出）。西方的畫作沒有見過相近之價，不知達芬奇的《蒙娜麗莎》拿出來拍賣值多少。上蒼有知，入場觀看收費，我賭《蒙娜麗莎》鬥不過《富春山居圖》——炎黃子孫人多勢眾也。

畫了三年，完工時黃公已逾八十，不可能再多畫一卷同樣的吧。三百多年後的乾隆皇帝竟然收藏了兩卷黃公望的《富春山居圖》。這不奇，奇就奇在乾隆認為是真的那卷今天的專家認為是假，乾隆認為是假的那卷今天的專家認為是真。我同意今人認為是真的那卷畫得比較好，但較好是真的證據嗎？今天認為是真的一六五〇年被燒過，之後分為長、短兩卷，但被燒過可不是真的證據。我最不能接受的，是今天的人貶低乾隆皇帝的鑑證能力。乾隆當然可能錯，但此君凡事苛求，魄力雄強，是中國歷史上最大的藝術收藏家，而且他可以起用的鑑證專家無數。我沒有詳細地跟進今天的專家認為乾隆把《富春山居圖》看錯的理由，而如果上蒼作判斷，我要賭的錢會押在今天的專家那一邊。這裡我只是要指出鑑證藝術作品不容易達到一致的共識。

專家判斷常有分歧

《富春山居圖》只是名作中的一個例子。王獻之的《中秋帖》，懷素的《食魚帖》，米芾的《研山銘》——皆著錄無數的名作，但今天皆有鑑證名家說不是獻之，不是懷素，不是米芾。古書畫當然比近代的較難鑑證，但近代的也絕不容易。二十多年前一套十六幅的傅抱石畫作在香港某拍賣行推出，有專家為文說是國寶級的真品，跟着該專家再寫文章說假得離譜。我有兩位深懂傅大師作品的朋友，一說是真一說是假。當時拍賣行收回不拍。我不懂，但純從邏輯推理看，認為是真的機會不小：如果多如十六幅可以假得連一些專家也看不出，傅大師的畫作今天不會那麼值錢。齊白石的畫比較容易假，也很值錢，可能因為齊老寫的字難假。我因而推理，買齊老的畫不要選字數少的。三年前某君出版一本自己收藏的林風眠畫作的結集，有多張，大部分畫得馬虎，兩位專家說大部分是假，也有懂的說全部是真。我不是專家，但認為全部是真。

這些及無數其他類同的例子證實我要再說的觀察：藝術收藏品的或真或假不容易有一致認同的專家。西方的畫作比較容易，因為油彩有厚度，一個作者的筆觸比較容易鑑別，而他們的藝術發展時日比較短，也較為重視整理作品與存案。另一方面，上節提到的翡翠玉石專家對孰真孰假的判斷很一致，對玉質的高下排列也很一致，雖然在市價的判斷上專家之間可有相當大的差別。中國的藝術收藏傳統以真、精、新排列重要性，其實那所謂“精”也是說“真”，因為一個作者的精品比較難假。

概率取捨與價變規律

為什麼藝術品的專家鑑證會遠比變化複雜的翡翠來得困難呢？兩個原因。其一是鑑證人為之物一般比鑑證天然之物困難。藝術作品的價值主要是作者的思考與手藝，但翡翠的價值主要是天然的石頭。人為之物遠為容易複製，因而遠為容易假冒。其二，任何需要專家鑑證的物品，善其道者一定要看得多，最好是能親自買賣或收藏，賺錢或虧蝕皆會對物品有較為深入的體會。翡翠玉石無數，市場成交也無數。然而，大有收藏價值的藝術品，尤其是屬於某一作者的，不容易多見，更勿論親自買賣了。進入了新世紀，藝術品在神州大地的拍賣市場升得急，主理拍賣生意的要提供鑑證——雖然次等拍賣行出售的很多是假。也是這些日子，拍賣行業的一般意識，是求物品易，求鑑證專家難。

因為藝術收藏品難有一致性的專家認同，購買這些物品的真偽之辨只能是一個概率上的選擇。稱得上是精品的比較難假冒，數量甚少，收藏者知道沽出不容易買回來，所以在大市上升時精品之價升得比較多，大市下降時精品之價跌得比較少。這樣，假以時日，同一作者同樣大小的作品，精品與一般之作相比，前者的相對價格會上升。這規律好些收藏老手知道，加上市場有競爭，投資的利息成本不菲，除非遇上這些年中國那樣的高速經濟增長，初入門的要收藏投資的回報率高於利息率是很困難的事。學習是漫長的過程，不容易，但有趣。經濟不論，幸運不算，投資於藝術收藏賺的是訊息費用的工夫錢。

名堂效應影響市價

是真是假的概率不一定對，所以市場出現了其他準則的協助。例如作品有沒有著錄是重要的考慮，而著錄是何方神聖，出版的日期是否夠老等，市場皆重視。以國畫或書法而論，收藏家或鑑賞家的印章稱得上是專家的可以背得出來。雖然電腦可以容易地複製印章，但今天懂的可以辨別，而印泥顏色的考究也是一門學問。因為是真是假的概率可變，用心的收藏家會花時間去考查資料，希望在市場購得他人不知道證據的作品，或增加自己擁有的作品的證據。

來源重要，這方面的處理西方比中國遠為有系統。名堂也重要：是誰收藏過或今天是誰放出來。最有說服力的名堂效應可能是明清時期的瓷器。一家在歐洲稱為某某堂的中國瓷器收藏，其價高出同樣水平的很多。可能我知得太少，認為鑑證舊瓷器沒有鑑證舊書畫那麼困難，但從名堂效應作判斷，舊瓷器的鑑證是比舊書畫困難的。

我有一個不嚴謹的觀察：愈是初級的鑑證家愈會偏於説一件藝術作品是假。如果這觀察是對的話，可不是因為説假、假、假會提升自己的身價，而是説假的代價比較小。説是真，人家依你説的買下來後，發現是假，你的聲名代價會下降很多。説是假，害得人家走了寶，你是不用付多少代價的。

明拍與暗拍的選擇

這就帶到今天收藏市場中最熱門的名堂：拍賣行。次等的不説，大有名堂的無疑給問津者有提供“真品”的訊息，雖然孰真孰假常有爭議，而今天的拍賣行一般不敢保證。另一方面，有疑問的作品也往往拍賣——可以肯定的是太少了。拍賣行的專家有他們的專業水平，但免不了也有問號。他們自己很少收藏，也不是專於某時期或某作者。大師如吳冠中曾經幾次看錯了自己的畫，何況我們沒有聽過拍賣行有吳冠中專家。經過多年的觀察，我認為從個別作者的角度衡量，拍賣行之外的收藏家往往比一般性的專業鑑證家高明。

藝術品拍賣是公開舉手的。這跟翡翠原石下暗標或在巾下以手指出價不同。有趣的問題是明拍與暗拍這二者哪方會帶來較高的成交價。答案是清楚的：雖然有時明拍價高，有時暗拍價高，但選擇明或暗的最終權力是在出售者的手上，所以一般而言，哪種拍法被選中就是成交價較高的。

翡翠原石拍賣，物主只在石皮上開幾個淺而小的水口，由專家選擇最佳玉質的示範位置。主要是買家要求暗拍，因為他們要保護苦學多年看皮賭石的知識。這要求物主接受，因為一般而言願意出高價的人對該原石的產品市場有專業認識。倒過來，代理眾多藝術品出售者的拍賣行要買家舉手明拍，是希望後者能集中表達拍賣行之外的眾多收藏家的知識。因為這些知識的集中，一件藝術品的拍賣成交價往往高出估價多倍。是的，藝術品拍賣，舉手的人是誰或是代表着哪位買家不少人知道。有些初入門的人會跟着朋友説是大收藏家的舉手。

造價的行為

瞞騙的行為當然存在，一般沒有趣味，不好説。拍賣行的聲譽值錢，屬下的職員混水摸魚常有，中、外皆然，也不好説。但造價的行為是要分析一下的。公開拍賣鼓勵造價，因為拍賣的成交價不僅會公布，而且傳遍天下。這公布之價不一定是真的。價高是不凡的象徵，造不實的高價對好幾方面的人有好處。在幾種情況下造價的行為會出現，這裡要談的是藝術品的作者刻意地把自己作品的拍賣成交價造高。要付的兩頭佣金加起來約下鎚價百分之二十五。有時請朋友把價叫上去，其實是自己間接地買回來；有時預先約好買家，暗地裡答應會附送些什麼。算是不老實的行為，但下文解釋，算不上是不道德。是的，今天不少朋友恨不得二十年前曾協助藝術家造價。

西方的藝術市場也有造價的行為，可能比中國為早。十九世紀，兩大繪畫天才——梵高與高庚——就有不造與造的比對。梵高不為自己的畫作造價，平生只出售過一幅畫，整生貧困；記載説高庚有造，也懷疑他喜歡用別名寫文章稱讚自己的畫。二十多年來，中國畫家的收入上升得快，其中有造與不造價的。造的不公布，但不是大秘密。

這裡的有趣問題，是造價會否增加一個藝術家的財富呢？

答案是有不少成功的例子，但造價失敗可以是災難。有家境富裕的藝術家造價造足整生也沒有什麼作為。長遠地看，市場對藝術品的判斷很少出錯。足以傳世的藝術作品早晚在市場有可觀的真價，但像梵高的作品那樣，要等到死後一年才有人搶着要，是多麼令人惋惜的事。

成功的造價行為是協助基本上在市場有可為的藝術家提早增加收入，因而增加財富。我也認為有些很不俗的藝術家，因為不造價永遠在市場消失。造價因而可以挽救這些不足以傳世但應該有可觀收入的準天才。問題是造價要成功可能要不斷地造一段日子，成本不菲，而最頭痛是不知造哪個價才對。把價造得太高，吸引不到買家，減價帶來的形象是藝術家的大忌。把價造得太低，要加價很困難。原則上，一個有真實本領可以打進市場的藝術家，造價可以協助提早入市，但選錯了價會是災難。

在訊息費用奇高的藝術收藏市場，造價的行為是作者對收藏者說：你們看看這邊吧，我是天才，你們怎可以不知道呢？從負面看造價是欺騙的行為，但從正面看作者是意圖減低市場的訊息費用。中國詩人中天賦最高的李白也有造價之嫌。在《與韓荊州書》中他寫道：請日試萬言，倚馬可待！

第七節：競爭市場的覓價行為

討價還價是覓價，絕對是。買者覓，賣者也覓。既然是覓價，出售者面對的需求曲線必然向右下傾斜。受價行為是指出售者面對的需求曲線是平線，無從覓價，不能不受。

購買或消費者的需求曲線向右下傾斜是需求定律——說出售者面對的需求曲線是平線怎可以自圓其說呢？傳統的解釋，

是市場的需求曲線是無數購買者的個別需求曲線向右橫加的組合——即是每價加個別購買者的需求量。這樣加起來的市場需求曲線當然也向右下傾斜。然而，市場有無數個出售者，每個只佔市場微不足道的一部分，把這向右下傾斜的市場需求曲線的一小點放大，橫向拉開，就變為平線一條了——永遠不會絕對是平，但近於平。於是，只要我們不吹毛求疵，個別出售或供應者面對的需求曲線是平線，所以不能不受價。

尊重傳統但不同意

上述的受價解釋經濟學接受了不止百年了。基本上我不同意，但或明或暗地我的《經濟解釋》寫到這裡還是接受着這傳統之見。我是刻意地等到這裡（卷三最後一章的最後一節）才提出異議。太早提出同學們會讀得天旋地轉。重要的一點是真實世界的確有受價這回事，即是一個出售物品的人不能自己訂與眾不同之價而在市場生存——他要接受被市場決定了的價，否則會遭淘汰。真有受價這回事，也即是說在某些情況下這出售者面對的需求曲線是一條平線。我不同意的是傳統對這平線的解釋。在《經濟解釋》寫到這裡之前，這點相當重要的不同意對我的分析完全沒有影響，所以接受傳統的"平線"解釋不會誤導同學。然而，這裡要分析的是在激烈的競爭市場出現討價還價的行為——即是出現覓價——傳統的平線解釋就不中用了。

我是個十分尊重傳統的人，從來沒有為了標奇立異而創新。然而，雖然從前輩的論著學得很多，我認為經濟學的傳統不重視解釋行為，對現象的細節知得不多，也往往指鹿為馬。我在經濟學的興趣只是解釋現象，別無其他。面對自己知道的現象細節，認為死死板板的經濟學解釋不了。我不能更改現象，只能修改理論與概念。是不容易的瑣碎工程，一點一滴地修改，今天回顧逾半個世紀，也感到自己在一門學問上可以做的做得差不多了。科學永遠可以改進，也需要永遠地這樣做。我把自己走過的路寫下來，清楚的，同學們可以選擇繼續走下去，也可以選走自己的。

需求平線再闡釋

處理競爭市場與覓價行為的並存，我對受價（出售者面對的需求曲線是平線）的解釋是市場的集中。多個需求者與供應者皆集中於一室之內，或通過電訊把訊息集中起來，大家各自見價購入或見價沽出。人數不用很多，總成交量也不需要很大，但二者要足夠地使個別的買或賣不影響市價。這是期貨或股票市場的一般情況。價可以波動，但如醉酒步行（random walk），即是沒有誰可以肯定下一個價會向哪方走。是的，說受價，醉酒步行可以作為平線看，這樣，個別購買者或出售者只是看着市價來決定買入或沽出。我在第二章指出，期貨市場是最清晰的受價市場。

現在讓我轉到一間出售黃金的店子。這店子不代表整個金市，面對的顧客不集中，通常只一個。這顧客對金的需求曲線本來向右下傾斜，但因為金有期市，其價為何該店子或會以告示說明，或顧客可以方便地打開報章一看，知道不可以討價還價，買還是不買只看着價來決定，而購買多少是按着他的需求。換言之，買金的顧客的需求曲線是按着金價為平線，到了他要購買之量以外才向右下傾斜。店子老闆面對這顧客的需求曲線，即是顧客按該價購買的量那部分，也是平線。不是由一條向右下傾斜的市場需求曲線的一點向横拉開至近於平——不用拉，絕對是平，因為價是平線。

收費莊家替代免費拍賣官

讓我再解釋一次。我提出的集中市場是把瓦爾拉斯（L. Walras）的免費拍賣官轉為事實看。瓦氏之見，是無數的購買與供應者表達着他們對某物品在不同價格下的供或求，一個義務的拍賣官整理供求雙方表達着的意欲，找到一個可以清貨的市價就是均衡點了。我說的期貨是一個集中市場，免費的拍賣官由多個莊家替代。跟瓦氏有別，這集中市場的交易費用不是零，因為莊家的服務不是免費的。他們的收入一方面從出售價與購入價的差距獲取，另一方面他們掌握着買賣雙方的落單資料，可以私下沽出或購入而獲利。莊家的收入是在他們互相競爭下決定的。

買價與賣價有差別不會左右受價的行為：上述的情況是二者皆平線。這裡的關鍵是從以物為本的角度看，可成期市的物品只限於品類不多的質量有嚴格量度準則的二、三十種。這關鍵我在第二章解釋過了。回頭再說出售黃金的小店子，老闆與顧客單對單地交易，什麼都可以談，只是價格由集中的期貨市場決定了，其變動也跟着期市變，是沒有空間可以討價還價的。這是受價。

沒有預先決定了的價

現在的問題是我們常見的市場顧客與出售者的交易並沒有期貨那種釐定了買賣雙方不能不接受的成交價。出售者面對購買者的個別需求曲線因而向右下傾斜，於是要覓價，買賣雙方皆覓。這樣，在好些情況下討價還價的行為會出現。

我曾經提及，經濟學傳統說的壟斷或專利，是指一個出售者面對的市場需求曲線向右下傾斜。然而，這裡分析的競爭市場，不是什麼壟斷或專利物品，只是因為沒有莊家集中處理，沒有一個預先決定了的價，出售者面對一個購買者的需求曲線是向右下傾斜的，面對不同購買者也如是，這競爭出售者面對的市場需求曲線當然也是向右下傾斜的了。重點是有訊息費用存在，尤其是物品質量的訊息與其他出售者的售價訊息，顧客知得不足夠，半點與眾不同的特徵也沒有的物品也可能出現討價還價的行為。事實上，出售同樣物品的小店子往往彼此相連，競爭激烈，但出售者與購買者互相覓價，開頭的叫價與最後的成交價可以相差幾倍！

沒有疑問，這種在激烈競爭下的覓價行為起於出售者面對的顧客的需求曲線向右下傾斜，推上去，不像黃金那樣，這曲線傾斜起於沒有一個集中的市場預先決定了一個價——一個買賣雙方不能不接受的價。理由明顯：物品質量的訊息不足與市場沒有莊家清貨帶來的不知價的訊息困難，顧客要覓價，而這覓價的簡單方法是先出低價，投石問路。顧客覓價，出售者衡量一下顧客的來頭，也覓顧客願意出的最高價。

價格分歧再闡釋

這裡有一個大家可以接受的推理：一個顧客的訊息費用愈低，或這顧客的時間成本愈低，在上述覓價的情況下，他的需求曲線的傾斜度會較小，也即是說他的需求彈性係數會較高。這觀點支持傳統的以需求彈性係數不同來解釋價格分歧的假說。我不反對，但認為是次等貨色。在第七章第二節我指出，以彈性係數不同來解釋價格分歧容易找到反證的例子，而我提出的以訊息費用及資源空置來解釋價格分歧，不容易找到反證。既然引進了訊息費用，我們不再需要考慮需求彈性係數。再者，彈性係數難以觀察，事前更難猜測，但從以物為本看訊息費用的或高或低是不難排列的。

這裡要補一個註腳。如果上述的訊息費用夠低，市場的傳言會促成買賣雙方一起認同的價，而價有變大家知道得快。這是另一種集中市場，不需要有很多的出售者及購買者，也不需要有期貨市場的莊家專業清貨。農產品在很多鄉鎮市場出現這種大家隨時知價的情況，在神州大地應該有悠久的歷史了。常見的農產品一般可以，某些金屬上世紀五十年代在還沒有期市引導的香港也如是，但製造品期市歷來無能為力。只要大家知價而又認同，出售者面對的需求曲線是平線。傳統提供的需求平線解釋怎樣看也不對。這傳統漠視訊息費用，更沒有從以物為本的角度看交易或訊息費用帶來的現象。

我為在激烈競爭下製造品出現討價還價行為的解釋想了很長的時日，十多年前找到大致上可取的答案。這次重寫《經濟解釋》，在上頭成本與直接成本之間的灰色地帶有了深入的體會，提出了擠迫效應，讓我以訊息費用及資源空置這二者的合併，給價格分歧作了一個圓滿的解釋。討價還價的解釋就變得遠為清楚了。討價還價帶來的效果是同樣物品不同顧客付不同的價，是價格分歧。

不二價先遭淘汰

讓我假設有多間小店子一起零售相同或很相近的物品，每店按期付租金，有兩三個銷售員工，而購進物品所有店子皆付同樣的批發價。店子購進的物品賣不出可以退貨，付出的批發價因而是直接成本。租金是上頭成本，而員工的工資在空閑時屬灰色地帶，邊際成本曲線畫不出來。這樣，在員工閑置的情況下，物品的零售價只高於入貨的直接成本少許，小店子偏於出售，但收那麼低的價這小店不夠交租及發工資，所以要可收盡收，價當然愈高愈好——這是爭取租值的方法。在競爭下生存，眾多店子的平均售價要足以彌補貨價、工資、租金等成本，但在競爭下店子的平均售價不會高出足以生存的平均價多少的。

這裡有一個關鍵問題，一九六四年困擾着老師阿爾欽和我的。我們問：如果在相同的多家店子中有一家的老闆選擇一個可以生存的平均價，決定打死也不減，其他的店子會為了生存而跟着同樣施行不二價嗎？後來我想到的答案是不會的：因為如果有閑置員工存在，先被市場淘汰的會是打死也不減價的店子。

想想吧。零售行業，店子一時水盡鵝飛，一時擠迫爆滿，而不同的店子可有不同的冷熱。你實行不二價，其他有員工閑置的競爭店子會把價減至低於你的，而只要生意夠多，生存沒有問題。這樣，生意好時大家好，生意不好時你獨自淒涼，怎會不先遭淘汰呢？

討價還價的規律

另一個關鍵是訊息費用存在，顧客無從肯定物品質量及市價為何。因為價高通常代表着質量高，出售者偏於誇張地先開高價，希望偶爾碰中一些不知就裡的。這樣，同樣足以生存的平均成交價，其變差數（即方差，variance）會上升。一般而言，訊息費用愈高成交價的變差數愈大。市場的觀察支持這點：名牌皮包、手錶之類，從百分率看，討價還價的空間一般遠比冒牌貨為小；遊客多的市場會有較大的成交價變差數；凡是顧客需要重複購買之物，訊息費用比較低。在深圳有多間店子比比相連的文具中心與電子用品中心，同樣物品的成交價變差數遠比賣冒牌貨的為低。

還有三個規律。其一是以上述的競爭店子為例，生意興旺時物品成交價的變差數會下降。這是因為擠迫使邊際成本變得明確：流失甲顧客是招待乙顧客的成本，討價還價的時間成本上升。其二是生意興旺時，出售者的開價不是較高，而是較低。理由也是邊際成本變得明確，速戰速決需要開較低的價。其三是生意出現擠迫時，店子開的價變得沒有討價還價的空間，價格分歧的現象會消失。

不是凡有不菲的訊息費用及閑置員工就會出現討價還價的現象。到餐館進食，顧客看着餐牌價叫菜，不議價，因為壓價可使送來的食品減量。訂婚禮酒席有議價的行為，但跟餐館訂出的價差別不大。這也是因為食品還沒有產出，大手壓價對後來產出的食品會有不良影響。

詩中密碼

在大商場或百貨公司之內購物，久不久有折價的現象，但通常不討價還價。這是因為老闆不在現場，同樣物品容許討價還價，帶來的成交價有變差數，會鼓勵銷售員出術，“落格”也。

有趣的是在香港某些檔次不低的商店，就是在大商場之內的，只要老闆或其親屬在場，討價還價的行為往往出現。說有趣，因為這些商店老闆之外有多個銷售員，分頭作戰，各自跟顧客討價還價。他們的設計是在物品上用線掛着一個小紙牌。紙牌的一面寫上物品的銷售價，其實是該物品的開價。紙牌的另一面寫着幾個顧客讀不成理的中文字。這幾個字是從一首耳熟能詳的五言詩的兩句抽出來的，每個字代表一個數字。例如詩云“空山新雨後，天氣晚來秋”，小紙牌的一面寫着“晚後秋”就是說八百五十元了。這代表着最低的出售價，顧客不知道，但三十多年前我跟一位老闆賭猜得中，勝了。我很佩服這些商店的銷售員。一個陌生客進門，只幾秒鐘銷售員會知道此客是否意圖購物，應酬幾句知道該客是哪一類，價應減多少有了打算。有導遊帶顧客進店是另一回事。導遊把兩個指頭輕輕地按在櫃枱上，是說他要分成交價的兩成，銷售員要打進售價去。導遊知道他帶着的遊客是哪種人物，我見過一位導遊把整個手掌放在櫃枱上。

沒有疑問，價格分歧是資源有空置加訊息費用的效果，傳統說的需求彈性係數不同通不過事實的驗證。

老友的好文章

訊息費用導致討價還價的行為，而這些行為增加了交易費用。如果所有銷售同樣物品的商店一律不二價，交易費用的節省可使幾方面得益。我認為這是某些名牌商品的廠商或批發商試圖管制零售價的原因。一九六〇年芝加哥的 Lester Telser 發表的關於廠商管制零售價的文章，老師阿爾欽和我皆認為是精彩之作，但不同意。Telser 之見，廠商管制零售，不准低於某價出售，是希望能藉此強迫銷售員多花時間示範產品的優越性。該文邏輯嚴謹，考慮到廠商有多方面的選擇，佳作也。

然而，上佳之見不一定對。上世紀六十年代起香港的名牌手錶管制零售價，但手錶是沒有什麼需要銷售員多花時間示範的——跟 Telser 提出的吸塵機例子不同也。零售價管不容易，香港的名錶批發推出這種管制經不起時日的蹂躪。雖然今天還有管制零售折頭的名錶，但商店的職員可有較大的折頭。像我這樣的顧客會託職員購買。

名牌手錶是有壟斷性的物品，覓價理所當然，但物品相同的競爭市場出現討價還價則要靠訊息費用與資源空置來解釋了。

附錄一：訊息費用與類聚定律

（按：本文發表於二〇〇二年十二月十九日。）

那天晚上與幾位朋友在一家賓館的咖啡廳喝酒，見到二十多位小姐行來行去，是歡場女子，賣笑佳人是也。這些小姐的相貌與身材都有水平，而奇怪的是水平差不多，很平均，沒有仙女下凡的也沒有目不忍睹的。以十為滿分算，朋友們打分都是七分或八分，沒有一位小姐是七、八分之外的。這奇怪的平均是有趣的經濟現象，作為經濟解釋的老手，我一想就明其理。

我的解釋是這樣的。據說這些小姐的每次交易大約一千元，討價還價可減至八百。我想，賣笑行業的交易價格不能公開，顧客不便逐個小姐問價，所以價格的訊息費用不菲。如果能像好些物品那樣公開標價，仙女下凡的胸前掛着二千大元，不堪入目的掛着三百小元，那麼仙女與醜女會混在一起，在同一市場賣笑。然而，價格不能公開，顧客所知之價只是一個平均約數，以為每位小姐之價差不多。這樣，仙女與醜女皆不能在這市場立足。前者的機會成本過高，要虧蝕；後者無人問津。

賣笑佳人的相貌與身材的質量來得那樣平均，是價格訊息費用高而導致的結果。這也是說，是價格的訊息費用導致質以類聚。我稱之為“類聚定律”。六十七歲還能在數秒鐘之內把這定律想出來，寶刀未老，不禁沾沾自喜。讓我試把上述的定律一般化，然後伸展到與此定律有關的話題上去。

不標價而又不便多問價，其價格訊息費用當然高。但好些有標價的行業，因為質量有訊息困擾，質以類聚的現象也明確。知價而不知質，基本上等於不知價。不知質量是高是低，標出之價是否有所值是大疑問。這樣，質以類聚的安排又出現了。

舉個例，賣影碟，盜版貨是在同一市場出售的。售者說是正版，但顧客一看價格，心知肚明，信你都傻，不會為真真假假的問題爭論。如果有真的正版在同一市場出售，珠混魚目，顧客也當作盜版下注。

舉另一個例，拍賣行拍藝術作品，大名鼎鼎拍賣行的貨色不一定全是真品，但贗品總要有高水平，非專家不容易看出來。如果外行人能一望而知是多有贗品混在其中，經過幾次這樣的拍賣，該拍賣行的大名就會急速下降，使拍賣品一般跌價。事實上，有些大名的拍賣行一年舉行兩次大拍賣，多次小拍賣。大拍賣是拍精選的，質量比較可靠，而小拍賣則較為馬虎，贗品的比例上升。

當然，因為鑑證的訊息費用不菲，小拍賣也偶有精品。我曾經以三千元人民幣在小拍賣中投得兩小幅納蘭容若的墨寶真迹，因為我和我的專家朋友比拍賣行的專家看得準。但我和太太要親自坐飛機去競投，志在必得，其旅費、時間費用高出物價好幾倍。不見經傳的小市鎮的藝術品拍賣，差不多全是假貨。這也是質以類聚了。偶有真貨，但非常少，混在其中是因為小鎮專家不到家，誤把真貨當假貨賣，其價偏低。我有兩位專家朋友賺取真貨假賣的錢，但他們要用功研究，錢不易賺，這也證實我提出的類聚定律是對的了。

再談一個例子。那就是名牌的現象。大名鼎鼎的名牌子可以很值錢，因為有名牌效應。名牌首飾、手錶、服裝、皮包等，都是例子。這些名牌的公司花巨資賣廣告、設計及註冊商標，非常嚴格地控制產品的質量。比起籍籍無名的牌子，名牌產品的製造成本不一定高很多，但訂價則高很多。不一定賺很多錢，因為維護名牌形象的費用高。

與我們這裡提出的類聚定律有關的，是質量的訊息費用使顧客不知道（或不肯定）標出來的價是否正確地反映質量。名牌是質量的保證，而這保證是不容易高質與低質一起保的。好些瑞士的手錶廠商用幾個牌子，高質與低質的牌子不同，名牌代表高質，雜牌低質。這是因為訊息費用的存在而以牌子不同的方式來搞質以類聚。

一個相關的有趣現象，是大名鼎鼎的牌子很喜歡採用不二價政策。很多專賣名牌的商店不容許顧客討價還價。在香港盛行討價還價的手錶零售行業，名牌的開價與成交價的百分比差距遠較雜牌的為小。這個現象的含意，是名牌代表着質以類聚，而如果容許大幅度的討價還價，高質類聚的形象守不住，以致付出大投資吹捧起來的名牌，會因為同樣物品的價格變數過大而失卻其名牌效應。

以上分析的類聚定律，是指質以類聚，不是物以類聚。中國成語老是說"物以類聚"，從物品或產品的市場看，這也是有的。物以類聚的成因，主要不是因為質量的訊息費用或價格的訊息費用，而是因為要減低找尋物品的費用。

小如一家商店，賣文具，或賣五金，或賣手錶，其物品的類聚是方便顧客找尋有目的、有意圖購買之物。沒有人會那麼傻，跑進文具店去買手錶。小商店之外的大商場，也有物以類聚的傾向。賣電腦的，賣服裝的，好些時是多間類同的商店聚在一起，雖然大家競爭比較激烈，但類聚方便了那些以某些物品為目的的顧客，為了招徠，不同商店也就物以類聚了。這是類聚的第二定律。

這商場物以類聚的現象顯然沒有一般性。那所謂“百貨商場”是說物不類聚。大家常見的購物中心（shopping center），主理的人一般刻意地選取出售不同貨品的商户租客，每類貨品的商户數目有規限。一方面，這是為了方便一般比較漫無目的的顧客或一家大小齊購物。另一方面，太多出售類同物品的商店會使購物中心的租值下降。

百貨商場或購物中心其實有另一種類聚。那是類聚漫無目的之顧客，或類聚採購幾項物品的，或類聚一家大小逛商場，其成員各有各的需求。這是類聚的第三定律。

附錄二：欺騙定律——鹹水草與淡水蟹

（本文發表於二〇〇三年一月七日。）

在電視看到一則新聞，是舊現象，只是政府最近才注意罷了。從中國內地運到香港應市的淡水蟹，被鹹水草捆綁得乖乖的，受到顧客投訴。顧客要買的是蟹，不是草，而浸透了水時草的重量只略低於蟹的。這是說，賣一斤蟹，草的重量佔大約百分之四十五。據說政府正在考慮提出起訴，罰款高達二萬四千。

一個賣蟹的人在電視上解釋，蟹的重量之價歷來是包括鹹水草的重量，如果只稱蟹不稱草，蟹之價肯定要上升，否則血本無歸也。這解釋當然是對的。

我不明白為什麼政府有時間去管市場習慣。如果有市民不知道蟹價是連草稱的，濕草很重，鹹水草不能吃，那麼說明澄清就可以了。一般市民不會那樣蠢，不知道賣蟹是連草稱，或不知道鹹水草不能煲湯或下酒。當然，好些顧客像我一樣，不知道鹹水草那麼重。但下文解釋，在競爭下，鹹水草怎樣重也無關宏旨，顧客不會真的受騙。賣假蟹是另一回事。

政府干預鹹水草捆綁着淡水蟹而出售，有格外過癮的困難。剪去草才稱嗎？蟹爬來爬去怎麼辦？剪掉了草，稱後再捆綁不僅費時，而在香港賣蟹的不一定是捆綁專家，捆綁不善，顧客買了回家，綁自動鬆了，兇神惡煞的蟹在家中横行，張牙舞爪，孩子們叫救命，倒也有奇趣。不要忘記，香港人在家中吃蟹，要新鮮，喜歡捆綁着蒸煮後才剪掉捆綁的。

買新摘下來的荔枝，小枝幹與樹葉往往是連帶着，一起稱而算價。買家當然知道枝幹與樹葉不能吃，但價要與枝葉的重量一起付。顧客大都知道荔枝有枝葉相連保存得比較好，正如捆綁着的蟹比較聽話一樣。

到市場買蔬菜，菜販喜歡灑水在蔬菜上，這樣較為好看，較新鮮，但不斷地加水的意圖是增加重量。顧客可能不知道多加水是為了增加重量，但怎會有中計的可能呢？所有菜販都多加水，競爭下沒有誰有甜頭；這與所有的菜販都不多加水、菜價提升後的回報率完全一樣。問題是你不多加水而競爭者多加，蔬菜賣同價，你就會遭淘汰。入鄉隨俗，要生存，你照加可也。

欺騙而能獲甜頭的行為，是要你騙而其他競爭者不騙，而你又可以成功地瞞天過海的。如果你賣成本較低的假蟹，競爭的同行賣真的，顧客不知道，你可獲甜頭。通常是暫時性的，但你可能認為騙得一時且一時，若被揭穿轉行去也。但如果你以為多加水在蔬菜上是行騙，沒有人發覺，沾沾自喜，以為有甜頭，那麼賣菜的競爭者中最蠢是你，因為長久下去，你不會比他們賺得多。

我最不明白是買魚吃的現象。到香港酒家叫貴價的鮮魚吃，以每兩算，斤兩永遠不足。顧客可能不知道，“受騙”了，但與買蔬菜一樣，足秤與不足秤你要付的價不同，事實上是打個平手。我不明白的是在香港，酒樓向批發商買鮮魚，斤兩也是永遠不足的。酒樓的買手不是吃飯的顧客，當然知道斤兩不足。既然買賣雙方都知道，為什麼還是斤兩不足呢？

這篇文章的主旨，是説在競爭下，賣家一律欺騙與一律不騙會有同樣的效果。我稱之為欺騙定律。

附錄三：打假與收藏第一定律

（按：本文發表於二〇〇九年十一月十七日。）

朋友説，因為明年上海大搞世界博覽，估計遊客八千萬，該市不久前開始對冒牌貨、盜版之類進行封殺——罰款奇高、吊銷牌照，甚至刑事處理。是所謂“打假”也。我不懷疑中國的假貨市場龐大，但衷心説實話，也欣賞中國的假貨假得精彩。

縱觀地球的經濟演進，假貨的盛行永遠是在人口密度高的國家的發展有點看頭時出現，無可避免。因此，客觀地看是個好現象。不是贊成或同意假貨應該存在，而是當我見到一個貧困的落後之邦產出的假貨來得有頭有勢，會替他們高興，因為這代表着的是該國的經濟有前途，比政府公布的任何數字來得可靠。曾經説過，衡量一個落後國家的工業發展，最迅速而又可靠的判斷是到該國的假貨市場考查一下。

二十年前韓國的假貨質量明顯地高於中國的，我認為中國的經濟是遠遠地落後了。這幾年中國迎頭趕上，是好現象。兩年前一位小姐朋友在深圳花三百元購買了一個名牌皮包，是假貨，拉鏈壞了，拿到香港的代理商店要求修理，店員真、假不分，免費給她換一個數千元真的。幾天前一位女士在內地購買了一隻歐米茄手錶，看似白金鑲着一圈小鑽石，鋼造的錶帶精美。三百五十開價，一百二十成交，當然是假貨。一位珠寶專家朋友拿着細看，搖頭嘆息，説："這麼便宜，怎可以把假鑽石鑲得那樣完美呀？"我自己也是個準專家。先父當年從事電鍍原料及拋光用品的生意，跟香港的廠家有密切聯繫，所以從小我對錶殼、錶帶的製作過程有深入的認識。看着那一百二十元購得的假歐米茄，翻來覆去地看，心想：零售一百二十，批發只不過是五、六十元，物價調整後，這是五十年前香港的十元以下，但五十年前的香港，十元單是錶帶也造不出來！在物質享受上，炎黃子孫的確有了很大的改進。

轉談本文正題，問：上海的政府應該打假嗎？答曰：無可厚非，因為假貨多可能被認為有辱國體。再問：明年光臨世博大典的眾多遊客，一般會反對上海假貨多多嗎？答曰：不知情的遊客一般會反對。然而，若再問：如果外來的貴賓們事前知道哪些貨是真，哪些貨是假，他們會反對價廉物美的假貨存在嗎？答曰：他們可能不好意思説出來，但沒有理由反對假貨的存在。有真貨、假貨的兩種選擇，當然比只有真沒有假的市場可取。換言之，反對假貨存在的貴賓們，主要是恐怕中計，把假貨當作真貨買。明知是假而付出假貨的低廉之價，他們不會反對。君不見，在上海的專於出售假貨的市場，老外雲集是常見的現象。我的太太見到一個長得美麗、穿得高雅的西方小女孩，在假貨店內用很不俗的普通話討價還價。如果上海杜絕假貨，這個討人喜愛的西方女孩是不會出現的。父母給她的零用錢無疑是為買假貨用的。

不要多信那些因為愚蠢無知而把名牌新製的假貨當作真貨買的故事。在中國的市場，顧客一般不會中這種計。假貨雖然往往可以亂真，但顧客看不出也不易中計。市場的競爭給顧客提供保護。真貨與假貨的開價一般相去甚遠：數萬元一隻的名牌手錶，假貨開價只數百，順口壓一下價可減半，大壓可減三分之二。手錶如是，皮包如是，成衣等也如是。只要這類貨品在店鋪出售，以假當真賣的店鋪在神州大地不容易生存。古家具等是另一回事。

多年前，在台灣，我察覺到一個妙絕的欺騙手法。一間有空調的高檔手錶商店，把鋼造的真的名牌手錶鍍上金，以金錶訂價。機緣巧合，我剛好知道該名牌的該型號是沒有金造的，所以破案。然而，這種算得上是高明的欺騙手法，在今天的神州不容易出現。這是因為中國對這類騙術的懲罰重而快。不是說中國沒有行騙（其實不少），也不是說中國的法治有過人之處（其實要大改進），但某些事，某些情，他們的打殺手法自成一家，有空調的手錶商店的老闆要吃了豹子膽才敢把真的名牌鋼錶鍍金作金錶出售。

沒有店子的獨行俠出售假貨怎樣了？到上海的外灘走走，你不難遇上一些滿身是名牌手錶假貨的獨行俠，開價也是數百元一隻，大手壓價後一般比店子的略為相宜。我作過試驗，知道獨行俠開價的差數比店子的高相當多。不難理解：不怕顧客回頭算賬，他們可以博一博遇到蠢才。但他們不會把假貨作真貨賣：就是真的是真貨也不會有人相信，何必浪費心思呢？如果有一位顧客在外灘跟一位獨行俠以天價購買了一隻他認為是真的假名牌，會是上海奇聞，蠢到死，跳進黃浦江算了。

大略地說了政府怎樣看，遊客怎樣看，顧客怎樣看，店子怎樣看，獨行俠怎樣看。現在輪到名牌真貨的老闆們怎樣看冒牌貨或假貨這個問題。曾經寫過，假貨的出現對某些名牌老闆是大吉大利的。當然，如果你問名牌老闆應不應該打假，他們多半會搶着説應該。一般來説，這不是由衷之言，因為贊成不打假有機會害了真貨的市價。不出聲，不參與打假行動，是名牌老闆們的默許做法。

我曾指出，勞力士手錶的假貨在中國多如天上星，但我敢打賭，該名錶的真貨這些年的銷量一定是暴升了。假貨的存在替真貨免費賣廣告。只出得起錢購買假貨的人根本不會問津真貨，但有朝一日收入多了，要買真貨來過癮一下是很自然的事。這些日子我見到歐米茄手錶的假貨急升，心想，不知要到哪裡購買歐米茄的股票呢？有另一種大名鼎鼎的瑞士手錶，內地有假貨，但不多，於是想，這名牌還沒有打進神州吧。到幾間大商場視察，果然不見。手錶如是，皮包、成衣等也如是。

君不見，不懂外語的神州女士們，可以把英、法、意等名牌説得朗朗上口，把我這個中、西兼精的老人家殺下馬來。她們無疑是從假貨中受到教育，學會了。有效果嗎？杭州有一家店子，賣一個假貨滿布神州的名牌皮包，是真貨，平均每天銷售進賬逾人民幣五十萬。可能是世界記錄。沒有聽過該名牌的老闆參與或建議打假。

我沒有説所有假貨皆對真貨有利。影碟、唱碟、書籍之類，假貨為害真貨一般無疑問。重視使用功能的產品，例如照相機，假之不易，市場不見假的。但好些年前還盛行的攝影膠卷，在神州假貨多得很。質量略差，但不俗，因為是從某國以大卷進口後重新包裝的。聽説名牌香口膠也有假貨，我沒有吃過。膠卷與香口膠的例子示範着的，是真假難分、價格不高的產品，不容易處理。

我可能是地球上唯一的要公開説明希望自己的產品被人假冒的人。好幾年前見到市場上有不少假冒周慧珺老師的書法出售，見到周老師時對她說了，她不怒反喜。一時間我自己悲從中來，因為沒有人假冒我的書法。如果有人假冒我的書法，在藝術市場隨處可見，真迹寫得一團糟也有價！

讀者要考慮收藏藝術作品嗎？衡量選擇的準則多多，可靠的無幾。只一項準則差不多肯定可靠：見到某藝術家的作品開始有不少假冒之作時，下注真貨。當年多被假冒的林風眠、齊白石、傅抱石、吳冠中等畫家，今天他們的真貨之價飛到天上去。多人假冒的藝術家作品，是反映着該藝術家有龐大的市場需求。見某藝術家的假貨湧現，搶先購買他的真貨，是可靠的收藏投資。我稱之為收藏第一定律。

參考文獻

J. Robinson, *The Economics of Imperfect Competition*. Macmillan, 1933.

F. A. Hayek, "The Use of Knowledge in Society," *American Economic Review*, 1945.

L. G. Telser, "Why Should Manufacturers Want Fair Trade? " *Journal of Law & Economics*, 1960.

G. J. Stigler, "The Economics of Information," *Journal of Political Economy*, 1961.

K. J. Arrow, "Uncertainty and the Welfare Economics of Medical Care," *American Economic Review*, 1963.

G. A. Akerlof, "The Market for 'Lemons': Quality Uncertainty and the Market Mechanism," *Quarterly Journal of Economics*, 1970.

S. N. S. Cheung, "A Theory of Price Control," *Journal of Law & Economics*, 1974.

Y. Barzel, “Measurement Cost and the Organization of Markets,” *Journal of Law & Economics*, 1982.

S. N. S. Cheung, “The Contractual Nature of the Firm,” *Journal of Law & Economics, 1983*.

人名索引
(Name Index)

經濟解釋　第四版

全五卷之三：受價與覓價

Steven N. S. Cheung, Economic Explanation, Fourth Edition
Book Three of Five: Price Taking and Price Searching

作者	張五常
封面攝影	張五常
扉頁書法	張五常
扉頁篆刻	茅大容：山一程水一程
	吳子建：張五常
書底篆刻	徐慶華：眾裏尋他千百度
總編輯	葉海旋
助理編輯	黃秋婷
設計	陳艷丁
出版	花千樹出版有限公司
	地址：九龍深水埗元州街 290-296 號 1104 室
	電郵：info@arcadiapress.com.hk
印刷	利高印刷有限公司
初版	二〇一二年六月
第四版	二〇一七年六月
ISBN	978-988-8265-80-0